Hernani

Victor Hugo

Hernani

Drame
1830

Préface d'Antoine Vitez
Commentaires et notes
d'Anne Ubersfeld

Le Livre de Poche

Texte conforme
à l'édition Furne, 1841.

Anne Ubersfeld est titulaire de la chaire d'esthétique et sciences de l'art, à l'Institut d'études théâtrales de l'université de la Sorbonne Nouvelle.

Elle a fait un travail sur le théâtre de Hugo (*Le Roi et le Bouffon*, Corti, 1974) et diverses études sur le théâtre romantique, Musset, Alexandre Dumas, et sur le théâtre classique. Récemment, elle est revenue à Hugo avec *Paroles de Hugo* (Messidor) et *Le Roman d'Hernani* (Mercure de France).

L'autre volet de ses recherches porte sur la théorie du théâtre (*Lire le théâtre*, Messidor, 1977 et *L'École du spectateur* (*Lire le théâtre II*, 1981). En préparation un *Lire le théâtre III*.

Préface

*Les personnages de l'ode sont
des colosses : Adam, Caïn, Noé ;
ceux de l'épopée sont des géants :
Achille, Atrée, Oreste ; ceux du
drame sont des hommes : Ham-
let, Macbeth, Othello. L'ode vit de
l'idéal, l'épopée du grandiose, le
drame du réel.*

Victor Hugo
Préface de *Cromwell*, 1827.

LA RECHERCHE DE LA NATURE

Le poème de Racine ne commande pas la diction de
l'acteur, elle reste à son libre arbitre, aucune intonation
ne peut se déduire de l'architecture équilibrée des vers ;
c'est un *palais à volonté*, comme le décor où on joue.

Hugo et Claudel, au contraire, font passer la voix par
un chemin obligé ; ils bâtissent des décors de rocaille,
des labyrinthes de jardin — décors modernes, simulant
la réalité, tandis que le décor classique n'en donne que le
signe, au fond de la scène. C'est aussi toute la différence
entre le jardin à la française et le jardin anglais. Celui-ci
— qui imite la Nature — limite les figures des trajets ;
celui-là — qui n'a pour ambition que représenter l'Harmonie — permet un nombre infini de combinaisons :
on y fait soi-même son chemin.

L'application par Hugo d'un parler familier sur la
grille alexandrine oblige celui qui parle à une expression
unique. Cela n'est possible que si l'on respecte le jeu
proposé ; surtout celui des enjambements, qu'il *ne faut
pas* faire, sous peine de transformer le vers en prose.
Détruire le vers détruit le sens. Si l'on ne dit pas les

douze syllabes de l'alexandrin racinien, si l'on ne fait pas entendre la rime, on perd ce petit scandale perpétuel des sentiments naturels exprimés dans la forme immuable.

Pour Hugo, comme pour Racine et Claudel, c'est toujours de la Nature qu'il s'agit en effet : chaque génération de poètes croit retrouver la Nature que la génération précédente aurait trahie. Qu'on relise *Bérénice* ! Les exclamations de l'amour blessé, « comme dans la vie », alternent avec la rhétorique du temps, mais beaucoup plus nombreuses et plus vraisemblables que chez Corneille ou Garnier. Hugo, à son tour, critiquant Racine, croit toucher la vérité même, et c'est lui, plus tard, qui semblera boursouflé, irréel ; on dressera contre lui le naturalisme bourgeois, qui lui-même, et caetera.

Et Claudel, imposant à l'acteur les moments de respiration, les césures petites et grandes, réduit au moindre écart le choix du diseur. Étrange partition où la hauteur des notes serait déterminée seulement par la fréquence et la quantité des soupirs ! C'est bien cela pourtant, mais parce qu'il s'agit de langue parlée, non pas chantée. On pourrait dire ceci : soit une voix parlée française ; si je lui donne à dire telle quantité de mots et si j'interromps cette quantité en ce point-ci, en celui-là, coupant, ou facilitant le souffle, et le superposant au sens courant du texte, de façon à déconcerter ce sens, j'orienterai irrésistiblement l'acteur à élever ou baisser la voix, ou la laisser en suspens, selon trois tons, l'ascendant, le descendant, ou l'étale, qui constituent la mélodie de la voix parlée.

La recherche de la Nature est aussi dans la considération morale de l'auteur sur les événements racontés. Du *Macbeth* de Shakespeare à celui de Verdi, la différence est dans l'émotion du poète. Le destin du général assassin est simplement ignoble pour Shakespeare, et sa chute est celle d'un misérable comme le monde en est plein. Verdi, lui, se laisse émouvoir par la grandeur du crime ; l'assassin avant de mourir rêve de *pitié, respect et amour.* C'est peut-être cela, le XIXe siècle, la féconde erreur des Romantiques cherchant l'Inde et découvrant une Amérique, croyant reprendre et refaire Shakespeare et faisant tout autre chose, inventant de donner au méchant de quoi se défendre, au bon des verges pour qu'on le batte, le Réalisme en somme, qui ne permet pas à l'acteur de juger son personnage et témoigner entièrement de ce jugement, mais l'oblige au contraire à grossir chaque caractère d'une pelote de points de vue contradictoires, jusqu'à perdre le sens, et surtout la Morale : plus personne n'a tort ni raison, tout se vaut, « c'est la vie ».

Faut-il, aujourd'hui, condamner le Réalisme pour cette raison-là ? Je m'en abstiendrai, mais je n'oublierai pas que le Réalisme est seulement une forme, et le choix d'une morale ambiguë, point du tout la réalité même.

Cette ambiguïté-là est à l'origine de l'œuvre dramatique de Victor Hugo, dans la sublime prose de la préface à *Cromwell*. Voici qu'il reconnaît l'apparition d'un sentiment nouveau, « plus que la gravité et moins que la tristesse : la *mélancolie* », et surtout le mélange dans la Poésie (comme dans la Nature, dit-il) de l'ombre à la lumière, du grotesque au sublime, du corps à l'âme, de la bête à l'esprit. On aurait tort de voir là chez lui un plaidoyer pour l'extravagance, la monstruosité ; il a bien raison de s'en défendre : c'est de la Nature qu'il parle, c'est la vérité qu'il veut montrer. « L'ode chante l'éternité, l'épopée solennise l'histoire, le drame peint la vie. »

Et quand il décompose le vers alexandrin, c'est évidemment pour le plaisir et la nécessité de la Rupture, *la gifle au goût public* que devaient pratiquer cent ans plus tard les futuristes russes, mais aussi, tout simplement, pour qu'il parle. Il faut le faire parler, comme on dirait lui faire avouer, cracher la vérité, et pour cela il n'est pas de meilleure méthode que le détournement des formes. Plus connue est la forme, et plus fixe, plus sa subversion donne effet de Réel bouleversant et inouï.

LE NOUVEAU PERSONNAGE

« Je suis une force qui va », dit-il. Mais qui est-il, ce personnage, qui sous des noms changeants revient dans toute l'œuvre du poète ? Hernani, Gennaro, Jean Valjean, Didier, Gavroche ou Ruy Blas, toujours son origine est inconnue, ou cachée, toujours il se bat contre les Grands de la terre ; et, ne sachant d'où il vient, il ne sait où il va. Il est le Peuple, et le mystère du Peuple.

Hugo a fait entrer là, pour la première fois, une nouvelle figure dans la famille qui comptait déjà les rois et les princes, les reines adultères et les esclaves rebelles. Le Peuple est maintenant sur le théâtre, il faut compter avec lui, il est imprévisible et furieux, on le croit méchant alors qu'il est blessé dès sa naissance ; sa bâtardise est sa noblesse.

Il est vrai que, jouant Victor Hugo, je ne pouvais oublier cela, qui est l'histoire des gens d'aujourd'hui, la ramification extrême, les bouleversements de la société, la violence de ceux qui n'ont rien à perdre, et ma propre famille, née du néant. J'entendais toujours mon père dire avec fierté ces mots : « Je suis orphelin. »

Quelle beauté d'avoir un nom inconnu, étranger, et de n'avoir ainsi de généalogie que dans le dictionnaire des mots et non celui des gens ! Cela fut de tout temps, certes, mais notre siècle accomplit le destin des gens de nulle part. Ils sont le sujet de l'Histoire, comme Victor Hugo l'annonçait, il y a cent ans ; cela explique peut-être l'étrange sentiment de reconnaissance qui nous lie à lui.

ANTOINE VITEZ

Préface
de Victor Hugo

L'auteur de ce drame écrivait il y a peu de semaines à propos d'un poète mort avant l'âge[1] :

« ... Dans ce moment de mêlée et de tourmente littéraire, qui faut-il plaindre, ceux qui meurent ou ceux qui combattent ? Sans doute, il est triste de voir un poète de vingt ans qui s'en va, une lyre qui se brise, un avenir qui s'évanouit ; mais n'est-ce pas quelque chose aussi que le repos ? N'est-il pas permis à ceux autour desquels s'amassent incessamment calomnies, injures, haines, jalousies, sourdes menées, basses trahisons ; hommes loyaux auxquels on fait une guerre déloyale ; hommes dévoués qui ne voudraient enfin que doter le pays d'une liberté de plus, celle de l'art, celle de l'intelligence ; hommes laborieux qui poursuivent paisiblement leur œuvre de conscience, en proie d'un côté à de viles machinations de censure et de police, en butte de l'autre, trop souvent, à l'ingratitude des esprits mêmes pour lesquels ils travaillent ; ne leur est-il pas permis de retourner quelquefois la tête avec envie vers ceux qui sont tombés derrière eux et qui dorment dans le tombeau ? *Invideo*, disait Luther dans le cimetière de Worms, *invideo, quia quiescunt*[2].

« Qu'importe toutefois ? Jeunes gens, ayons bon courage ! Si rude qu'on veuille nous faire le présent, l'avenir sera beau. Le romantisme tant de fois mal défini, n'est à tout prendre, et c'est là sa définition réelle si l'on ne l'envisage que sous son côté militant, que le *libéralisme* en littérature. Cette vérité est déjà comprise à peu près de tous les bons esprits, et le nombre en est grand ; et bientôt, car l'œuvre est déjà bien avancée, le libéralisme littéraire ne sera pas moins populaire que le libéralisme politique. La liberté dans l'art, la liberté dans la société, voilà le double but auquel doivent tendre d'un même pas tous les esprits conséquents et logiques : voilà la double bannière qui rallie, à bien peu d'intelligences près (lesquelles s'éclaireront), toute la jeunesse si forte et si patiente aujourd'hui ; puis, avec la jeunesse et à sa tête, l'élite de la génération qui nous a précédés, tous ces sages vieillards qui, après le premier moment de défiance et d'examen, ont reconnu que ce que font leurs fils est une conséquence de ce qu'ils ont fait eux-mêmes, et que la liberté littéraire est fille de la liberté politique. Ce principe est celui du siècle, et prévaudra. Les *Ultras*[1] de tout genre, classiques ou monarchiques, auront beau se prêter secours pour refaire l'ancien régime de toutes pièces, société et littérature ; chaque progrès du pays, chaque développement des intelligences, chaque pas de la liberté fera crouler tout ce qu'ils auront échafaudé. Et, en définitive, leurs efforts de réaction auront été utiles. En révolution, tout mouvement fait avancer. La vérité et la liberté ont cela d'excellent que tout ce qu'on fait pour elles et tout ce qu'on fait contre elles les sert également. Or, après tant de grandes choses que nos pères ont faites, et que nous avons vues, nous voilà sortis de la vieille forme sociale ; comment ne sortirions-nous pas de la vieille forme poétique ? A peuple nouveau, art nouveau. Tout en admirant la littérature de Louis XIV si bien adaptée à sa monarchie, elle saura bien avoir sa littérature propre et personnelle et nationale, cette

France actuelle, cette France du XIXe siècle, à qui Mira-
beau a fait sa liberté et Napoléon sa puissance. »

Qu'on pardonne à l'auteur de ce drame de se citer
lui-même ; ses paroles ont si peu le don de se graver
dans les esprits, qu'il aurait souvent besoin de les rap-
peler. D'ailleurs, aujourd'hui, il n'est peut-être point
hors de propos de remettre sous les yeux des lecteurs les
deux pages qu'on vient de transcrire. Ce n'est pas que ce
drame puisse en rien mériter le beau nom d'*art nouveau*,
de *poésie nouvelle*, loin de là ; mais c'est que le principe
de la liberté en littérature vient de faire un pas ; c'est
qu'un progrès vient de s'accomplir, non dans l'art, ce
drame est trop peu de chose, mais dans le public ; c'est
que, sous ce rapport du moins, une partie des pronostics
hasardés plus haut viennent de se réaliser.

Il y avait péril, en effet, à changer ainsi brusquement
d'auditoire, à risquer sur le théâtre des tentatives
confiées jusqu'ici seulement au papier qui *souffre tout* ;
le public des livres est bien différent du public des spec-
tacles, et l'on pouvait craindre de voir le second repous-
ser ce que le premier avait accepté. Il n'en a rien été. Le
principe de la liberté littéraire, déjà compris par le
monde qui lit et qui médite, n'a pas été moins complè-
tement adopté par cette immense foule, avide des pures
émotions de l'art, qui inonde chaque soir les théâtres de
Paris. Cette voix haute et puissante du peuple, qui ressemble à celle de Dieu, veut désormais que la poésie ait
la même devise que la politique : TOLÉRANCE ET
LIBERTÉ.

Maintenant, vienne le poëte ! Il y a un public.

Et cette liberté, le public la veut telle qu'elle doit être,
se conciliant avec l'ordre, dans l'État, avec l'art, dans la
littérature. La liberté a une sagesse qui lui est propre, et
sans laquelle elle n'est pas complète. Que les vieilles
règles de d'Aubignac[1] meurent avec les vieilles coutu-

mes de Cujas[1], cela est bien ; qu'à une littérature de cour
succède une littérature de peuple, cela est mieux encore ;
mais surtout qu'une raison intérieure se rencontre au
fond de toutes ces nouveautés. Que le principe de liberté
fasse son affaire, mais qu'il la fasse bien. Dans les lettres, comme dans la société, point d'étiquette, point
d'anarchie : des lois. Ni talons rouges, ni bonnets
rouges.

Voilà ce que veut le public, et il veut bien. Quant à
nous, par déférence pour ce public qui a accueilli avec
tant d'indulgence un essai qui en méritait si peu, nous
lui donnons ce drame aujourd'hui tel qu'il a été représenté. Le jour viendra peut-être de le publier tel qu'il a
été conçu par l'auteur, en indiquant et en discutant les
modifications que la scène lui a fait subir. Ces détails de
critique peuvent ne pas être sans intérêt ni sans ensei-
gnements, mais ils sembleraient minutieux aujourd'hui ;
la liberté de l'art est admise, la question principale est
résolue ; à quoi bon s'arrêter aux questions secondaires ?
nous y reviendrons du reste quelque jour, et nous par-
lerons aussi, bien en détail, en la ruinant par les raison-
nements et par les faits, de cette censure dramatique qui
est le seul obstacle à la liberté du théâtre, maintenant
qu'il n'y en a plus dans le public. Nous essaierons, à nos
risques et périls et par dévouement aux choses de l'art,
de caractériser les mille abus de cette petite inquisition
de l'esprit, qui a, comme l'autre saint-office, ses juges
secrets, ses bourreaux masqués, ses tortures, ses mutila-
tions et sa peine de mort[2]. Nous déchirerons, s'il se
peut, ces langes de police dont il est honteux que le
théâtre soit encore emmailloté au XIXe siècle.

Aujourd'hui, il ne doit y avoir place que pour la
reconnaissance et les remerciements. C'est au public que
l'auteur de ce drame adresse les siens, et du fond du
cœur. Cette œuvre, non de talent, mais de conscience et

de liberté, a été généreusement protégée contre bien des
inimitiés par le public, parce que le public est toujours
aussi, lui, consciencieux et libre. Grâces lui soient donc
rendues, ainsi qu'à cette jeunesse puissante qui a porté
aide et faveur à l'ouvrage d'un jeune homme sincère et
indépendant comme elle ! C'est pour elle surtout qu'il
travaille, parce que ce serait une gloire bien haute que
l'applaudissement de cette élite de jeunes hommes,
intelligente, logique, conséquente, vraiment libérale en
littérature comme en politique, noble génération qui ne
se refuse pas à ouvrir les deux yeux à la vérité et à recevoir la lumière des deux côtés.

Quant à son œuvre en elle-même, il n'en parlera pas.
Il accepte les critiques qui en ont été faites, les plus
sévères comme les plus bienveillantes, parce qu'on peut
profiter à toutes. Il n'ose se flatter que tout le monde ait
compris du premier coup ce drame, dont le *Romancero
General*[1] est la véritable clef. Il prierait volontiers les
personnes que cet ouvrage a pu choquer de relire *Le
Cid, Don Sanche, Nicomède*, ou plutôt tout Corneille et
tout Molière, ces grands et admirables poètes. Cette lecture, si pourtant elles veulent bien faire d'abord la part
de l'immense infériorité de l'auteur d'*Hernani*, les ren-
dra peut-être moins sévères pour certaines choses qui
ont pu les blesser dans la forme ou dans le fond de ce
drame. En somme, le moment n'est peut-être pas encore
venu de le juger. *Hernani* n'est jusqu'ici que la première
pierre d'un édifice qui existe tout construit dans la tête
de son auteur[2], mais dont l'ensemble peut seul donner
quelque valeur à ce drame. Peut-être ne trouvera-t-on
pas mauvaise un jour la fantaisie qu'il lui a pris de
mettre, comme l'architecte de Bourges, une porte presque mauresque à sa cathédrale gothique.

En attendant, ce qu'il a fait est bien peu de chose, il le
sait. Puissent le temps et la force ne pas lui manquer

pour achever son œuvre ! Elle ne vaudra qu'autant
qu'elle sera terminée. Il n'est pas de ces poètes privilé-
giés qui peuvent mourir ou s'interrompre avant d'avoir
fini, sans péril pour leur mémoire ; il n'est pas de ceux
qui restent grands, même sans avoir complété leur
ouvrage, heureux hommes dont on peut dire ce que Virgile disait de Carthage ébauchée :

> *Pendent opera interrupta minaeque*
> *Murorum ingentes*[1] *!*

(9 mars 1830.)

Hernani[1]

Drame

Acteurs :

HERNANI
DON CARLOS
DON RUY GOMEZ DE SILVA
DOÑA SOL DE SILVA
LE ROI DE BOHÊME
LE DUC DE BAVIÈRE
LE DUC DE GOTHA
LE BARON DE HOHENBOURG
LE DUC DE LUTZELBOURG
IAQUEZ
DON SANCHO
DON MATIAS
DON RICARDO
DON GARCI SUAREZ
DON FRANCISCO
DON JUAN DE HARO
DON PEDRO GUZMAN DE LARA
DON GIL TELLEZ GIRON
DOÑA JOSEFA DUARTE
Un montagnard
Une dame
Premier conjuré
Deuxième conjuré
Troisième conjuré
Conjurés de la Ligue sacro-sainte, allemands et espagnols
Montagnards, Seigneurs, Soldats, Pages, Peuple, etc.

Espagne - 1519.

Acte I

LE ROI

SARAGOSSE

Une chambre à coucher. La nuit. Une lampe sur une table.

Scène 1

DOÑA JOSEFA DUARTE, *vieille ; en noir, avec le corps de sa jupe cousu de jais, à la mode d'Isabelle-la-Catholique*[1], DON CARLOS

DOÑA JOSEFA, *seule.*

Elle ferme les rideaux cramoisis de la fenêtre et met en ordre quelques fauteuils. On frappe à une petite porte dérobée à droite. Elle écoute. On frappe un second coup.

Serait-ce déjà lui ?

Un nouveau coup.

                    C'est bien à l'escalier

Dérobé.

Un quatrième coup.

Vite, ouvrons !

*Elle ouvre la petite porte masquée. Entre don Carlos,
le manteau sur le nez et le chapeau sur les yeux.*

Bonjour, beau cavalier.

*Elle l'introduit. Il écarte son manteau et laisse voir un
riche costume de velours et de soie, à la mode castil-
lane de 1519. Elle le regarde sous le nez et recule,
étonnée.*

Quoi, seigneur Hernani, ce n'est pas vous ! — Main-
Au feu !   [forte !

DON CARLOS, *lui saisissant le bras.*

Deux mots de plus, duègne, vous êtes morte !

Il la regarde fixement. Elle se tait effrayée.

Suis-je chez doña Sol ? fiancée au vieux duc
De Pastraña, son oncle, un bon seigneur, caduc,
Vénérable et jaloux ? Dites ? La belle adore
Un cavalier sans barbe et sans moustache encore,
Et reçoit tous les soirs, malgré les envieux,
10 Le jeune amant sans barbe à la barbe du vieux.
Suis-je bien informé ?

Elle se tait. Il la secoue par le bras.

Vous répondrez peut-être ?

DOÑA JOSEFA
Vous m'avez défendu de dire deux mots, maître.

DON CARLOS
Aussi n'en veux-je qu'un. — Oui, — non. — Ta dame
Doña Sol de Silva ? parle.   [est bien

DOÑA JOSEFA

Oui. — Pourquoi ?

DON CARLOS

Pour rien.
Le duc, son vieux futur, est absent à cette heure ?

DOÑA JOSEFA
Oui.

DON CARLOS
Sans doute elle attend son jeune ?

DOÑA JOSEFA

Oui.

DON CARLOS

Que je meure !

DOÑA JOSEFA
Oui.

DON CARLOS
Duègne ! c'est ici qu'aura lieu l'entretien ?

DOÑA JOSEFA
Oui.

DON CARLOS
Cache-moi céans[1] !

DOÑA JOSEFA

Vous !

DON CARLOS

Moi.

DOÑA JOSEFA

Pourquoi ?

DON CARLOS

Pour rien.

DOÑA JOSEFA
   Moi vous cacher !

DON CARLOS
                     Ici.

DOÑA JOSEFA
                          Jamais !

DON CARLOS, *tirant de sa ceinture une bourse et un poignard.*
                               Daignez, madame,
20 Choisir de cette bourse ou bien de cette lame.

DOÑA JOSEFA, *prenant la bourse.*
   Vous êtes donc le diable ?

DON CARLOS
                                Oui, duègne.

DOÑA JOSEFA, *ouvrant une armoire étroite dans le mur.*
                                     Entrez ici.

DON CARLOS, *examinant l'armoire.*
   Cette boîte !

DOÑA JOSEFA, *la refermant.*
             Va-t'en si tu n'en veux pas !

DON CARLOS, *rouvrant l'armoire.*
                                    Si !

   L'examinant encore.

   Serait-ce l'écurie où tu mets d'aventure
   Le manche du balai qui te sert de monture ?

   Il s'y blottit avec peine.

   Ouf !

DOÑA JOSEFA, *joignant les mains avec scandale.*
   Un homme ici !

DON CARLOS, *dans l'armoire restée ouverte.*
                    C'est une femme — est-ce pas —
    Qu'attendait ta maîtresse ?

DOÑA JOSEFA
                    Ô ciel ! j'entends le pas
    De doña Sol. — Seigneur, fermez vite la porte.

    Elle pousse la porte de l'armoire qui se referme.

DON CARLOS, *de l'intérieur de l'armoire.*
    Si vous dites un mot, duègne, vous êtes morte !

DOÑA JOSEFA, *seule.*
    Qu'est cet homme ? Jésus mon Dieu ! si j'appelais ?...
30 Qui ? — Hors Madame et moi, tout dort dans le palais.
    — Bah ! l'autre va venir ; la chose le regarde.
    Il a sa bonne épée, et que le ciel nous garde
    De l'enfer !

    Pesant la bourse.

                    Après tout, ce n'est pas un voleur.

    *Entre doña Sol, en blanc. Doña Josefa cache la
    bourse.*

Scène 2

DOÑA JOSEFA, DON CARLOS, *caché,*
DOÑA SOL, *puis* HERNANI

DOÑA SOL
    Josefa !

DOÑA JOSEFA
            Madame !

DOÑA SOL

     Ah ! je crains quelque malheur.
Hernani devrait être ici !

 Bruit de pas à la petite porte.

      Voici qu'il monte !
Ouvre avant qu'il ne frappe, et fais vite, et sois
         [prompte !

 *Josefa ouvre la petite porte. Entre Hernani. Grand
 manteau, grand chapeau. Dessous, un costume de
 montagnard d'Aragon, gris, avec une cuirasse de cuir ;
 une épée, un poignard et un cor à sa ceinture.*

DOÑA SOL, *courant à lui.*
Hernani !

HERNANI

   Doña Sol ! Ah ! c'est vous que je vois
Enfin ! et cette voix qui parle est votre voix !
Pourquoi le sort mit-il mes jours si loin des vôtres ?
40 J'ai tant besoin de vous pour oublier les autres !

DOÑA SOL, *touchant ses vêtements.*
Jésus ! votre manteau ruisselle ! il pleut donc bien ?

HERNANI
Je ne sais.

DOÑA SOL

   Vous devez avoir froid ?

HERNANI

       Ce n'est rien.

DOÑA SOL
Ôtez donc ce manteau !

HERNANI

    Doña Sol, mon amie !
Dites-moi, quand la nuit vous êtes endormie,

Calme, innocente et pure, et qu'un sommeil joyeux
Entrouvre votre bouche et du doigt clôt vos yeux,
Un ange vous dit-il combien vous êtes douce
Au malheureux que tout abandonne et repousse ?

DOÑA SOL
Vous avez bien tardé, seigneur ! mais dites-moi
50 Si vous avez froid ?

HERNANI
                    Moi ! je brûle près de toi !
Ah ! quand l'amour jaloux bouillonne dans nos têtes,
Quand notre cœur se gonfle et s'emplit de tempêtes,
Qu'importe ce que peut un nuage des airs
Nous jeter en passant de tempête et d'éclairs !

DOÑA SOL, *lui défaisant son manteau.*
Allons ! donnez la cape et l'épée avec elle !

HERNANI, *la main sur son épée.*
Non. C'est mon autre amie, innocente et fidèle. —
Doña Sol, le vieux duc, votre futur époux,.
Votre oncle, est donc absent ?

DOÑA SOL
                          Oui, cette heure est à nous.

HERNANI
Cette heure ! et voilà tout. Pour nous, plus rien qu'une
                                               [heure,
60 Après, qu'importe! Il faut qu'on oublie ou qu'on meure.
Ange ! une heure avec vous ! une heure, en vérité,
A qui voudrait la vie, et puis l'éternité !

DOÑA SOL
Hernani !

HERNANI, *amèrement.*
        Que je suis heureux que le duc sorte !

Comme un larron qui tremble et qui force une porte,
Vite, j'entre, et vous vois, et dérobe au vieillard
Une heure de vos chants et de votre regard,
Et je suis bien heureux, et sans doute on m'envie
De lui voler une heure, et lui me prend ma vie !

DOÑA SOL
Calmez-vous.

> *Remettant le manteau à la duègne.*

> Josefa, fais sécher le manteau.

> *Josefa sort.*
> *Elle s'assied et fait signe à Hernani de venir près*
> *d'elle.*

70 Venez là.

HERNANI, *sans l'entendre.*
> Donc le duc est absent du château ?

DOÑA SOL, *souriant.*
Comme vous êtes grand !

HERNANI
> Il est absent !

DOÑA SOL
> Chère âme,
Ne pensons plus au duc.

HERNANI
> Ah ! pensons-y, Madame !
Ce vieillard ! il vous aime, il va vous épouser !
Quoi donc ! vous prit-il pas l'autre jour un baiser ?
N'y plus penser.

DOÑA SOL, *riant.*
> C'est là ce qui vous désespère !
Un baiser d'oncle ! au front ! presque un baiser de père !

LA PREMIÈRE REPRÉSENTATION D'HERNANI

Si le drame avait eu six actes, nous tombions tous asphyxiés.

Dessin de Grandville.

HERNANI

    Non. Un baiser d'amant. de mari, de jaloux.
    Ah ! vous serez à lui, Madame, y pensez-vous !
    Ô l'insensé vieillard, qui, la tête inclinée,
80 Pour achever sa route et finir sa journée,
    A besoin d'une femme, et va, spectre glacé,
    Prendre une jeune fille ! Ô vieillard insensé !
    Pendant que d'une main il s'attache à la vôtre,
    Ne voit-il pas la mort qui l'épouse de l'autre ?
    Il vient dans nos amours se jeter sans frayeur ?
    Vieillard, va-t'en donner mesure au fossoyeur !
    — Qui fait ce mariage ? on vous force, j'espère !

DOÑA SOL

    Le roi, dit-on, le veut.

HERNANI

                  Le roi ! le roi ! mon père
    Est mort sur l'échafaud, condamné par le sien.
90 Or, quoiqu'on ait vieilli depuis ce fait ancien,
    Pour l'ombre du feu roi, pour son fils, pour sa veuve,
    Pour tous les siens, ma haine est encor toute neuve !
    Lui, mort, ne compte plus. Et, tout enfant, je fis
    Le serment de venger mon père sur son fils.
    Je te cherchais partout, Carlos, roi des Castilles !
    Car la haine est vivace entre nos deux familles.
    Les pères ont lutté sans pitié, sans remords,
    Trente ans ! Or, c'est en vain que les pères sont morts,
    Leur haine vit. Pour eux la paix n'est point venue,
100 Car les fils sont debout, et le duel continue.
    Ah ! c'est donc toi qui veux cet exécrable hymen !
    Tant mieux. Je te cherchais, tu viens dans mon chemin !

DOÑA SOL

    Vous m'effrayez !

HERNANI
                        Chargé d'un mandat d'anathème,
Il faut que j'en arrive à m'effrayer moi-même !
Écoutez : l'homme auquel, jeune, on vous destina,
Ruy de Silva, votre oncle, est duc de Pastrana,
Riche homme[1] d'Aragon, comte et grand de Castille.
A défaut de jeunesse, il peut, ô jeune fille,
Vous apporter tant d'or, de bijoux, de joyaux,
110 Que votre front reluise entre des fronts royaux,
Et pour le rang, l'orgueil, la gloire et la richesse,
Mainte reine peut-être enviera sa duchesse !
Voilà donc ce qu'il est. Moi, je suis pauvre, et n'eus,
Tout enfant, que les bois où je fuyais pieds nus.
Peut-être aurais-je aussi quelque blason illustre
Qu'une rouille de sang à cette heure délustre[2] ;
Peut-être ai-je des droits, dans l'ombre ensevelis,
Qu'un drap d'échafaud noir cache encor sous ses plis,
Et qui, si mon attente un jour n'est pas trompée,
120 Pourront de ce fourreau sortir avec l'épée.
En attendant, je n'ai reçu du ciel jaloux
Que l'air, le jour et l'eau, la dot qu'il donne à tous.
Or du duc ou de moi souffrez qu'on vous délivre.
Il faut choisir des deux : l'épouser, ou me suivre.

DOÑA SOL
    Je vous suivrai.

HERNANI
                        Parmi nos rudes compagnons,
Proscrits, dont le bourreau sait d'avance les noms,
Gens dont jamais le fer ni le cœur ne s'émousse,
Ayant tous quelque sang à venger qui les pousse ?
Vous viendrez commander ma bande, comme on dit ?
130 Car, vous ne savez pas, moi, je suis un bandit !
Quand tout me poursuivait dans toutes les Espagnes,
Seule, dans ses forêts, dans ses hautes montagnes,

Dans ses rocs, où l'on n'est que de l'aigle aperçu,
La vieille Catalogne en mère m'a reçu.
Parmi ses montagnards, libres, pauvres et graves,
Je grandis, et demain, trois mille de ses braves,
Si ma voix dans leurs monts fait résonner ce cor,
Viendront... — Vous frissonnez ! réfléchissez encor.
Me suivre dans les bois, dans les monts, sur les grèves,
140 Chez des hommes pareils aux démons de vos rêves.
Soupçonner tout, les yeux, les voix, les pas, le bruit.
Dormir sur l'herbe, boire au torrent, et la nuit
Entendre, en allaitant quelque enfant qui s'éveille,
Les balles des mousquets siffler à votre oreille.
Être errante avec moi, proscrite, et s'il le faut
Me suivre où je suivrai mon père, — à l'échafaud.

DOÑA SOL

Je vous suivrai.

HERNANI

          Le duc est riche, grand, prospère.
Le duc n'a pas de tache au vieux nom de son père.
Le duc peut tout. Le duc vous offre avec sa main
150 Trésors, titres, bonheur...

DOÑA SOL

               Nous partirons demain.
Hernani, n'allez pas sur mon audace étrange
Me blâmer. Êtes-vous mon démon ou mon ange ?
Je ne sais. Mais je suis votre esclave. Écoutez,
Allez où vous voudrez, j'irai. Restez, partez,
Je suis à vous. Pourquoi fais-je ainsi ? je l'ignore.
J'ai besoin de vous voir et de vous voir encore
Et de vous voir toujours. Quand le bruit de vos pas
S'efface, alors je crois que mon cœur ne bat pas,
Vous me manquez, je suis absente de moi-même ;
160 Mais dès qu'enfin ce pas que j'attends et que j'aime

Vient frapper mon oreille, alors il me souvient
Que je vis, et je sens mon âme qui revient !

HERNANI, *la serrant dans ses bras.*
   Ange !

DOÑA SOL
      A minuit. Demain. Amenez votre escorte.
Sous ma fenêtre. Allez, je serai brave et forte.
Vous frapperez trois coups.

HERNANI
                   Savez-vous qui je suis,
Maintenant ?

DOÑA SOL
         Monseigneur, qu'importe ! je vous suis.

HERNANI
   Non. Puisque vous voulez me suivre, faible femme,
Il faut que vous sachiez quel nom, quel rang, quelle
Quel destin est caché dans le pâtre Hernani.   [âme,
170 Vous voulez d'un brigand ? voulez-vous d'un banni ?

DON CARLOS, *ouvrant avec fracas la porte de l'armoire.*
   Quand aurez-vous fini de conter votre histoire ?
Croyez-vous donc qu'on soit à l'aise en cette armoire ?

   Hernani recule étonné. Doña Sol pousse un cri et se
   réfugie dans ses bras, en fixant sur don Carlos des
   yeux effarés.

HERNANI, *la main sur la garde de son épée.*
   Quel est cet homme ?

DOÑA SOL
          Ô ciel ! au secours !

HERNANI
                  Taisez-vous,
Doña Sol ! vous donnez l'éveil aux yeux jaloux.

Quand je suis près de vous, veuillez, quoi qu'il
[advienne,
Ne réclamer jamais d'autre aide que la mienne.

A don Carlos.

Que faisiez-vous là ?

DON CARLOS

Moi ? — Mais, à ce qu'il paraît,
Je ne chevauchais pas à travers la forêt.

HERNANI

Qui raille après l'affront s'expose à faire rire
180 Aussi son héritier !

DON CARLOS

Chacun son tour. — Messire,
Parlons franc. Vous aimez Madame et ses yeux noirs,
Vous y venez mirer les vôtres tous les soirs,
C'est fort bien. J'aime aussi Madame, et veux connaître
Qui j'ai vu tant de fois entrer par la fenêtre,
Tandis que je restais à la porte.

HERNANI

En honneur,
Je vous ferai sortir par où j'entre, seigneur.

DON CARLOS

Nous verrons. J'offre donc mon amour à Madame.
Partageons. Voulez-vous ? J'ai vu dans sa belle âme
Tant d'amour, de bonté, de tendres sentiments,
190 Que Madame, à coup sûr, en a pour deux amants.
— Or, ce soir, voulant mettre à fin mon entreprise,
Pris, je pense, pour vous, j'entre ici par surprise,
Je me cache, j'écoute, à ne vous celer rien ;
Mais j'entendais très mal et j'étouffais très bien.
Et puis, je chiffonnais ma veste à la française.
Ma foi, je sors !

HERNANI
                              Ma dague aussi n'est pas à l'aise
    Et veut sortir !

DON CARLOS, *le saluant.*
                              Monsieur, c'est comme il vous plaira.

HERNANI, *tirant son épée.*
    En garde !

        Don Carlos tire son épée.

DOÑA SOL, *se jetant entre eux deux.*
                    Hernani ! Ciel !

DON CARLOS
                                    Calmez-vous, señora.

HERNANI, *à don Carlos.*
    Dites-moi votre nom.

DON CARLOS
                              Hé ! dites-moi le vôtre !

HERNANI
 200 Je le garde, secret et fatal, pour un autre
    Qui doit un jour sentir, sous mon genou vainqueur,
    Mon nom à son oreille, et ma dague à son cœur !

DON CARLOS
    Alors, quel est le nom de l'autre ?

HERNANI
                                    Que t'importe !
    En garde ! défends-toi !

        *Ils croisent leurs épées. Doña Sol tombe tremblante sur
        un fauteuil. On entend des coups à la porte.*

DOÑA SOL, *se levant avec effroi.*
                              Ciel ! on frappe à la porte !

        *Les champions s'arrêtent. Entre Josefa par la petite
        porte et tout effarée.*

HERNANI, *à Josefa.*
  Qui frappe ainsi ?

DOÑA JOSEFA, *à doña Sol.*
                  Madame ! un coup inattendu !
  C'est le duc qui revient !

DOÑA SOL, *joignant les mains.*
                  Le duc ! tout est perdu !
  Malheureuse !

DOÑA JOSEFA, *jetant les yeux autour d'elle.*
                  Jésus ! l'inconnu ! les épées !
  On se battait. Voilà de belles équipées !

  *Les deux combattants remettent leurs épées dans le
  fourreau. Don Carlos s'enveloppe dans son manteau et
  rabat son chapeau sur ses yeux. On frappe.*

HERNANI
  Que faire ?

  On frappe.

UNE VOIX, *au-dehors.*
                  Doña Sol, ouvrez-moi !

  *Doña Josefa fait un pas vers la porte. Hernani l'ar-
  rête.*

HERNANI

                              N'ouvrez pas.

DOÑA JOSEFA, *tirant son chapelet.*
  210 Saint Jacques monseigneur, tirez-nous de ce pas !

  On frappe de nouveau.

HERNANI, *montrant l'armoire à don Carlos.*
  Cachons-nous.

DON CARLOS
                  Dans l'armoire ?

HERNANI

Entrez-y. Je m'en charge.
Nous y tiendrons tous deux.

DON CARLOS

Grand merci, c'est trop large.

HERNANI, *montrant la petite porte.*
Fuyons par là.

DON CARLOS

Bonsoir, pour moi, je reste ici.

HERNANI
Ah ! tête et sang, Monsieur ! Vous me paierez ceci !

A doña Sol.

Si je barricadais l'entrée ?

DON CARLOS, *à Josefa.*

Ouvrez la porte.

HERNANI
Que dit-il ?

DON CARLOS, *à Josefa interdite.*
Ouvrez donc, vous dis-je !

*On frappe toujours. Doña Josefa va ouvrir en trem-
blant.*

DOÑA SOL

Je suis morte !

Scène 3

LES MÊMES, DON RUY GOMEZ DE SILVA,
barbe et cheveux blancs, en noir ;
valets avec des flambeaux.

DON RUY GOMEZ

Des hommes chez ma nièce à cette heure de nuit !
Venez tous ! cela vaut la lumière et le bruit.

A doña Sol.

Par saint Jean d'Avila[1], je crois que, sur mon âme,
220 Nous sommes trois chez vous, c'est trop de deux,
                                        [Madame.

Aux deux jeunes gens.

Mes jeunes cavaliers, que faites-vous céans ? —
Quand nous avions le Cid et Bernard, ces géants
De l'Espagne et du monde allaient par les Castilles
Honorant les vieillards et protégeant les filles.
C'étaient des hommes forts et qui trouvaient moins
Leur fer et leur acier que vous votre velours.   [lourds
Ces hommes-là portaient respect aux barbes grises,
Faisaient agenouiller leur amour aux églises,
Ne trahissaient personne, et donnaient pour raison
230 Qu'ils avaient à garder l'honneur de leur maison.
S'ils voulaient une femme, ils la prenaient sans tache,
En plein jour, devant tous, et l'épée, ou la hache,
Ou la lance à la main ! — Et quant à ces félons
Qui, le soir, et les yeux tournés vers leurs talons,
Ne fiant qu'à la nuit leurs manœuvres infâmes,
Par-derrière aux maris volent l'honneur des femmes,
J'affirme que le Cid, cet aïeul de nous tous,

Les eût tenus pour vils et fait mettre à genoux,
Et qu'il eût, dégradant leur noblesse usurpée,
240 Souffleté leur blason du plat de son épée !
Voilà ce que feraient, j'y songe avec ennui,
Les hommes d'autrefois aux hommes d'aujourd'hui.
— Qu'êtes-vous venus faire ici ? C'est donc à dire
Que je ne suis qu'un vieux dont les jeunes vont rire ?
On va rire de moi, soldat de Zamora[1] !
Et quand je passerai, tête blanche, on rira !
Ce n'est pas vous du moins qui rirez !

HERNANI

                                        Duc...

DON RUY GOMEZ

                                        Silence !
Quoi ! vous avez l'épée, et la dague, et la lance,
La chasse, les festins, les meutes, les faucons,
250 Les chansons à chanter le soir sous les balcons,
Les plumes au chapeau, les casaques de soie,
Les bals, les carrousels, la jeunesse, la joie,
Enfants, l'ennui vous gagne ! A tout prix, au hasard,
Il vous faut un hochet. Vous prenez un vieillard !
Ah ! vous l'avez brisé, le hochet ! mais Dieu fasse
Qu'il vous puisse en éclats rejaillir à la face ! —
Suivez-moi !

HERNANI

                Seigneur duc...

DON RUY GOMEZ

                                Suivez-moi ! Suivez-moi !
Messieurs ! avons-nous fait cela pour rire ? Quoi !
Un trésor est chez moi : c'est l'honneur d'une fille,
260 D'une femme, l'honneur de toute une famille ;
Cette fille, je l'aime, elle est ma nièce, et doit

Bientôt changer sa bague à l'anneau de mon doigt.
Je la crois chaste et pure et sacrée à tout homme ;
Or il faut que je sorte une heure, et moi qu'on nomme
Ruy Gomez de Silva, je ne puis l'essayer
Sans qu'un larron d'honneur se glisse à mon foyer !
Arrière ! lavez donc vos mains, hommes sans âmes,
Car, rien qu'en y touchant, vous nous tachez nos
                                            [femmes !
Non. C'est bien. Poursuivez. Ai-je autre chose encor ?

Il arrache son collier.

270 Tenez, foulez aux pieds, foulez ma Toison d'Or[1].

Il jette son chapeau.

Arrachez mes cheveux, faites-en chose vile !
Et vous pourrez demain vous vanter par la ville
Que jamais débauchés, dans leurs jeux insolents,
N'ont sur plus noble front souillé cheveux plus blancs !

DOÑA SOL
Monseigneur...

DON RUY GOMEZ, *à ses valets.*
                    Écuyers ! écuyers ! à mon aide !
Ma hache, mon poignard, ma dague de Tolède !

Aux deux jeunes gens.

Et suivez-moi tous deux.

DON CARLOS, *faisant un pas.*
                              Duc, ce n'est pas d'abord
De cela qu'il s'agit. Il s'agit de la mort
De Maximilien, empereur d'Allemagne[2].

*Il jette son manteau, et découvre son visage caché par
son chapeau.*

DON RUY GOMEZ
280 Raillez-vous ?... Dieu ! le Roi !

DOÑA SOL

Le Roi !

HERNANI, *dont les yeux s'allument.*

Le Roi d'Espagne !

DON CARLOS, *gravement.*

Oui, Carlos. — Seigneur duc, es-tu donc insensé ?
Mon aïeul l'empereur est mort. Je ne le sai[1]
Que de ce soir. Je viens tout en hâte et moi-même
Dire la chose à toi, féal sujet que j'aime,
Te demander conseil, incognito, la nuit,
Et l'affaire est bien simple, et voilà bien du bruit !

> *Don Ruy Gomez renvoie ses gens d'un signe. Il*
> *s'approche de don Carlos que doña Sol examine avec*
> *crainte et surprise, et sur lequel Hernani, demeuré*
> *dans un coin, fixe des yeux étincelants.*

DON RUY GOMEZ

Mais pourquoi tarder tant à m'ouvrir cette porte ?

DON CARLOS

Belle raison ! tu viens avec toute une escorte !
Quand un secret d'État m'amène en ton palais,
290 Duc, est-ce pour l'aller dire à tous tes valets ?

DON RUY GOMEZ

Altesse, pardonnez... l'apparence...

DON CARLOS

Bon père,
Je t'ai fait gouverneur du château de Figuère[2] ;
Mais qui dois-je à présent faire ton gouverneur ?

DON RUY GOMEZ

Pardonnez...

DON CARLOS

Il suffit. N'en parlons plus, seigneur.
Donc l'empereur est mort.

DON RUY GOMEZ

L'aïeul de Votre Altesse
Est mort ?

DON CARLOS

Duc, tu m'en vois pénétré de tristesse.

DON RUY GOMEZ
Qui lui succède ?

DON CARLOS

Un duc de Saxe[1] est sur les rangs.
François Premier, de France, est un des concurrents.

DON RUY GOMEZ
Où vont se rassembler les électeurs d'empire ?

DON CARLOS
300 Ils ont choisi, je crois, Aix-la-Chapelle, — ou Spire,
— Ou Francfort.

DON RUY GOMEZ

Notre roi, dont Dieu garde les jours,
N'a-t-il pensé jamais à l'empire ?

DON CARLOS

Toujours.

DON RUY GOMEZ
C'est à vous qu'il revient.

DON CARLOS

Je le sais.

DON RUY GOMEZ

Votre père
Fut archiduc d'Autriche, et l'empire, j'espère,
Aura ceci présent, que c'était votre aïeul
Celui qui vient de choir de la pourpre au linceul.

DON CARLOS
Et puis on est bourgeois de Gand[2].

DON RUY GOMEZ

                                   Dans mon jeune âge
Je le vis, votre aïeul. Hélas ! seul je surnage
D'un siècle tout entier. Tout est mort à présent.
310 C'était un empereur magnifique et puissant.

DON CARLOS

Rome est pour moi.

DON RUY GOMEZ

                         Vaillant, ferme, point tyrannique.
Cette tête allait bien au vieux corps germanique !

Il s'incline sur les mains du roi et les baise.

Que je vous plains ! — Si jeune, en un tel deuil plongé !

DON CARLOS

Le pape veut ravoir la Sicile que j'ai ;
Un empereur ne peut posséder la Sicile.
Il me fait empereur : alors, en fils docile,
Je lui rends Naple. Ayons l'aigle[1], et puis nous verrons
Si je lui laisserai rogner les ailerons. —

DON RUY GOMEZ

Qu'avec joie il verrait, ce vétéran du trône,
320 Votre front déjà large aller à sa couronne !
Ah ! seigneur, avec vous nous le pleurerons bien
Cet empereur très grand, très bon et très chrétien !

DON CARLOS

Le Saint-Père est adroit. — Qu'est-ce que la Sicile ?
C'est une île qui pend à mon royaume, une île,
Une pièce, un haillon, qui, tout déchiqueté,
Tient à peine à l'Espagne et qui traîne à côté.
— Que ferez-vous, mon fils, de cette île bossue,
Au monde impérial au bout d'un fil cousue ?
Votre empire est mal fait : vite, venez ici,
330 Des ciseaux ! et coupons ! — Très-Saint-Père, merci !

Car de ces pièces-là, si j'ai bonne fortune,
Je compte au saint-empire[1] en recoudre plus d'une,
Et si quelques lambeaux m'en étaient arrachés,
Rapiécer mes États d'îles et de duchés !

DON RUY GOMEZ

Consolez-vous ! Il est un empire des justes
Où l'on revoit les morts plus saints et plus augustes !

DON CARLOS

Ce roi François Premier, c'est un ambitieux !
Le vieil empereur mort, vite ! il fait les doux yeux
A l'empire ! A-t-il pas sa France très chrétienne ?
340 Ah ! la part est pourtant belle, et vaut qu'on s'y tienne !
L'empereur mon aïeul disait au roi Louis :
— Si j'étais Dieu le père, et si j'avais deux fils,
Je ferais l'aîné Dieu, le second roi de France. —

Au duc.

Crois-tu que François puisse avoir quelque espérance ?

DON RUY GOMEZ

C'est un victorieux.

DON CARLOS

                    Il faudrait tout changer.
La bulle d'or[2] défend d'élire un étranger.

DON RUY GOMEZ

A ce compte, Seigneur, vous êtes roi d'Espagne ?

DON CARLOS

Je suis bourgeois de Gand.

DON RUY GOMEZ

                         La dernière campagne
A fait monter bien haut le roi François Premier.

DON CARLOS

350 L'aigle qui va peut-être éclore à mon cimier
Peut aussi déployer ses ailes.

DON RUY GOMEZ

Votre Altesse
Sait-elle le latin ?

DON CARLOS

Mal.

DON RUY GOMEZ

Tant pis. La noblesse
D'Allemagne aime fort qu'on lui parle latin.

DON CARLOS

Ils se contenteront d'un espagnol hautain,
Car il importe peu, croyez-en le roi Charle,
Quand la voix parle haut, quelle langue elle parle.
— Je vais en Flandre. Il faut que ton roi, cher Silva,
Te revienne empereur. Le roi de France va
Tout remuer. Je veux le gagner de vitesse.
360 Je partirai sous peu.

DON RUY GOMEZ

Vous nous quittez, Altesse,
Sans purger l'Aragon de ces nouveaux bandits
Qui partout dans nos monts lèvent leurs fronts hardis?

DON CARLOS

J'ordonne au duc d'Arcos d'exterminer la bande.

DON RUY GOMEZ

Donnez-vous aussi l'ordre au chef qui la commande
De se laisser faire ?

DON CARLOS

Hé ! quel est ce chef? son nom ?

DON RUY GOMEZ

Je l'ignore. On le dit un rude compagnon.

DON CARLOS

Bah ! je sais que pour l'heure il se cache en Galice,
Et j'en aurai raison avec quelque milice.

DON RUY GOMEZ
    De faux avis alors le disaient près d'ici.

DON CARLOS
    370 Faux avis ! — Cette nuit tu me loges.

DON RUY GOMEZ, *s'inclinant jusqu'à terre.*
                                                    Merci,
    Altesse !

    Il appelle ses valets.

            Faites tous honneur au roi mon hôte !

    *Les valets rentrent avec des flambeaux. Le duc les
    range sur deux haies jusqu'à la porte du fond. Cepen-
    dant, doña Sol s'approche lentement d'Hernani. Le roi
    les épie tous deux.*

DOÑA SOL, *bas à Hernani.*
    Demain, sous ma fenêtre, à minuit, et sans faute.
    Vous frapperez des mains trois fois.

HERNANI, *bas.*
                                                    Demain.

DON CARLOS, *à part.*
                                                    Demain !

    *Haut à doña Sol vers laquelle il fait un pas avec galan-
    terie.*

    Souffrez que pour rentrer je vous offre la main.

    Il la reconduit à la porte. Elle sort.

HERNANI, *la main dans sa poitrine sur la poignée de sa
    dague.*
    Mon bon poignard !

DON CARLOS, *revenant, à part.*
                        Notre homme a la mine attrapée.

Il prend à part Hernani.

Je vous ai fait l'honneur de toucher votre épée,
Monsieur. Vous me seriez suspect pour cent raisons.
Mais le roi don Carlos répugne aux trahisons.
Allez. Je daigne encor protéger votre fuite.

DON RUY GOMEZ, *revenant et montrant Hernani.*
380 Qu'est ce seigneur ?

DON CARLOS

               Il part. C'est quelqu'un de ma suite.

*Ils sortent avec les valets et les flambeaux, le duc pré-
cédant le roi, une cire à la main.*

Scène 4

HERNANI, *seul*

Oui, de ta suite, ô roi ! de ta suite ! — j'en suis[1].
Nuit et jour, en effet, pas à pas, je te suis !
Un poignard à la main, l'œil fixé sur ta trace,
Je vais ! Ma race en moi poursuit en toi ta race !
Et puis, te voilà donc mon rival ! un instant
Entre aimer et haïr je suis resté flottant,
Mon cœur pour elle et toi n'était point assez large,
J'oubliais en l'aimant ta haine qui me charge,
Mais puisque tu le veux, puisque c'est toi qui viens
390 Me faire souvenir, c'est bon, je me souviens !
Mon amour fait pencher la balance incertaine
Et tombe tout entier du côté de ma haine.
Oui, je suis de ta suite, et c'est toi qui l'as dit !
Va, jamais courtisan de ton lever maudit,
Jamais seigneur baisant ton ombre, ou majordome

Ayant à te servir abjuré son cœur d'homme,
Jamais chiens de palais dressés à suivre un roi,
Ne seront sur tes pas plus assidus que moi !
Ce qu'ils veulent de toi, tous ces grands de Castille,
400 C'est quelque titre creux, quelque hochet qui brille,
C'est quelque mouton d'or qu'on se va pendre au cou;
Moi, pour vouloir si peu je ne suis pas si fou !
Ce que je veux de toi, ce n'est point faveurs vaines,
C'est l'âme de ton corps, c'est le sang de tes veines,
C'est tout ce qu'un poignard, furieux et vainqueur,
En y fouillant longtemps peut prendre au fond d'un
                                                    [cœur !
Va devant ! je te suis. Ma vengeance qui veille
Avec moi toujours marche et me parle à l'oreille !
Va ! je suis là, j'épie et j'écoute, et sans bruit
410 Mon pas cherche ton pas et le presse et le suit !
Le jour tu ne pourras, ô roi, tourner la tête,
Sans me voir immobile et sombre dans ta fête,
La nuit tu ne pourras tourner les yeux, ô roi,
Sans voir mes yeux ardents luire derrière toi !

Il sort par la petite porte.

Acte II

LE BANDIT

SARAGOSSE

Un patio du palais de Silva. — A gauche, les grands murs du palais, avec une fenêtre à balcon. Au-dessous de la fenêtre, une petite porte. A droite et au fond, des maisons et des rues. — Il est nuit. On voit briller çà et là, aux façades des édifices, quelques fenêtres encore éclairées.

Scène 1

DON CARLOS, DON SANCHO SANCHEZ DE ZUNIGA, *comte de Monterey,* DON MATIAS CENTURION, *marquis d'Almuñan,* DON RICARDO DE ROXAS, *seigneur de Casapalma*

Ils arrivent tous quatre, don Carlos en tête, chapeaux rabattus, enveloppés de longs manteaux dont leurs épées soulèvent le bord inférieur.

DON CARLOS, *examinant le balcon.*
Voilà bien le balcon, la porte... mon sang bout.

Montrant la fenêtre qui n'est pas éclairée.

Pas de lumière encor !

Il promène ses yeux sur les autres croisées éclairées.

Des lumières partout
Où je n'en voudrais pas, hors à cette fenêtre
Où j'en voudrais !

DON SANCHO

Seigneur, reparlons de ce traître.
Et vous l'avez laissé partir !

DON CARLOS

Comme tu dis !

DON MATIAS

420 Et peut-être c'était le major des bandits !

DON CARLOS

Qu'il en soit le major ou bien le capitaine,
Jamais roi couronné n'eut mine plus hautaine.

DON SANCHO

Son nom, seigneur ?

DON CARLOS, *les yeux fixés sur la fenêtre.*

Muñoz... Fernan...

Avec le geste d'un homme qui se rappelle tout à coup.

Un nom en i !

DON SANCHO

Hernani, peut-être ?

DON CARLOS

Oui.

DON SANCHO

C'est lui !

DON MATIAS

C'est Hernani !

Le chef !

DON SANCHO, *au roi.*

De ses propos vous reste-t-il mémoire ?

DON CARLOS, *qui ne quitte pas la fenêtre des yeux.*

Hé ! je n'entendais rien dans leur maudite armoire !

DON SANCHO

Mais pourquoi le lâcher lorsque vous le tenez ?

> *Don Carlos se tourne gravement et le regarde en*
> *face.*

DON CARLOS

Comte de Monterey, vous me questionnez[1].

> *Les deux seigneurs reculent et se taisent.*

Et d'ailleurs, ce n'est point le souci qui m'arrête.
430 J'en veux à sa maîtresse et non point à sa tête.
J'en suis amoureux fou ! Les yeux noirs les plus beaux,
Mes amis ! deux miroirs ! deux rayons ! deux

[flambeaux !

Je n'ai rien entendu de toute leur histoire
Que ces trois mots : — Demain, venez à la nuit noire !
Mais c'est l'essentiel. Est-ce pas excellent ?
Pendant que ce bandit, à mine de galant,
S'attarde à quelque meurtre, à creuser quelque tombe,
Je viens tout doucement dénicher sa colombe.

DON RICARDO

Altesse, il eût fallu, pour compléter le tour,
440 Dénicher la colombe en tuant le vautour.

DON CARLOS, *à don Ricardo.*

Comte ! un digne conseil ! vous avez la main prompte !

DON RICARDO, *s'inclinant profondément.*
Sous quel titre plaît-il au roi que je sois comte ?

DON SANCHO, *vivement.*
C'est méprise !

DON RICARDO, *à don Sancho.*
       Le roi m'a nommé comte.

DON CARLOS
             Assez !
Bien.
  A Ricardo.
   J'ai laissé tomber ce titre. Ramassez.

DON RICARDO, *s'inclinant de nouveau.*
Merci, seigneur !

DON SANCHO, *à don Matias.*
     Beau comte ! un comte de surprise !

*Le roi se promène au fond du théâtre, examinant avec
impatience les fenêtres éclairées. Les deux seigneurs
causent sur le devant de la scène.*

DON MATIAS, *à don Sancho.*
Mais que fera le roi, la belle une fois prise ?

DON SANCHO, *regardant Ricardo de travers.*
Il la fera comtesse, et puis dame d'honneur.
Puis qu'il en ait un fils, il sera roi.

DON MATIAS
          Seigneur !
Allons donc, un bâtard ! Comte, fût-on altesse,
450 On ne saurait tirer un roi d'une comtesse !

DON SANCHO
Il la fera marquise ; alors, mon cher marquis...

DON MATIAS

On garde les bâtards pour les pays conquis.
On les fait vice-rois. C'est à cela qu'ils servent.

Don Carlos revient.

DON CARLOS, *regardant avec colère toutes les fenêtres
éclairées.*

Dirait-on pas des yeux jaloux qui nous observent ?
Enfin ! en voilà deux qui s'éteignent ! allons !
Messieurs, que les instants de l'attente sont longs !
Qui fera marcher l'heure avec plus de vitesse ?

DON SANCHO

C'est ce que nous disons souvent chez Votre Altesse.

DON CARLOS

Cependant que chez vous mon peuple le redit.

La dernière fenêtre éclairée s'éteint.

460 — La dernière est éteinte ! —

Tourné vers le balcon de doña Sol, toujours noir.

                              Ô vitrage maudit !
Quand t'éclaireras-tu ? — Cette nuit est bien sombre !
Doña Sol, viens briller comme un astre dans l'ombre !

A don Ricardo.

Est-il minuit ?

DON RICARDO

                    Minuit bientôt[1].

DON CARLOS

                              Il faut finir
Pourtant ! A tout moment l'autre peut survenir.

*La fenêtre de doña Sol s'éclaire. On voit son ombre se
dessiner sur les vitraux lumineux.*

Mes amis ! un flambeau ! son ombre à la fenêtre !

Jamais jour ne me fut plus charmant à voir naître.
Hâtons-nous ! faisons-lui le signal qu'elle attend.
Il faut frapper des mains trois fois. — Dans un instant,
Mes amis, vous allez la voir!... — Mais notre nombre
470 Va l'effrayer peut-être... — Allez tous trois dans l'ombre,
Là-bas, épier l'autre. Amis, partageons-nous
Les deux amants. Tenez, à moi la dame, à vous
Le brigand.

DON RICARDO
                    Grand merci !

DON CARLOS
                              S'il vient, de l'embuscade
Sortez vite, et poussez au drôle une estocade.
Pendant qu'il reprendra ses esprits sur le grès[1],
J'emporterai la belle, et nous rirons après.
N'allez pas cependant le tuer ! C'est un brave
Après tout, et la mort d'un homme est chose grave.

*Les deux seigneurs s'inclinent et sortent. Don Carlos
les laisse s'éloigner, puis frappe des mains à deux
reprises. A la deuxième fois la fenêtre s'ouvre, et doña
Sol paraît en blanc sur le balcon.*

Scène 2
DON CARLOS, DOÑA SOL

DOÑA SOL, *au balcon.*
    Est-ce vous, Hernani ?

DON CARLOS, *à part.*
                    Diable ! ne parlons pas !

Il frappe de nouveau des mains.

DOÑA SOL
480 Je descends.

> *Elle referme la fenêtre, dont la lumière disparaît. Un*
> *moment après, la petite porte s'ouvre, et doña Sol*
> *en sort sa lampe à la main, sa mante sur les*
> *épaules.*

DOÑA SOL, *entrouvrant la porte.*
                    Hernani !

> *Don Carlos rabat son chapeau sur son visage et*
> *s'avance précipitamment vers elle.*

DOÑA SOL, *laissant tomber sa lampe.*
                    Dieu ! ce n'est point son pas !

> *Elle veut rentrer. Don Carlos court à elle et la retient*
> *par le bras.*

DON CARLOS
    Doña Sol !

DOÑA SOL
            Ce n'est point sa voix ! Ah ! malheureuse !

DON CARLOS
    Eh ! quelle voix veux-tu, qui soit plus amoureuse ?
    C'est toujours un amant, et c'est un amant roi !

DOÑA SOL
    Le roi !

DON CARLOS
            Souhaite, ordonne, un royaume est à toi !
    Car celui dont tu veux briser la douce entrave
    C'est le roi ton seigneur ! c'est Carlos ton esclave !

DOÑA SOL, *cherchant à se dégager de ses bras.*
    Au secours, Hernani !

DON CARLOS

Le juste et digne effroi !
Ce n'est pas ton bandit qui te tient, c'est le roi !

DOÑA SOL

Non. Le bandit, c'est vous. — N'avez-vous pas de honte ?
490 Ah ! pour vous à la face une rougeur me monte.
Sont-ce là les exploits dont le roi fera bruit ?
Venir ravir de force une femme la nuit !
Que mon bandit vaut mieux cent fois ! Roi, je
[proclame
Que, si l'homme naissait où le place son âme,
Si Dieu faisait le rang à la hauteur du cœur,
Certe, il serait le roi, prince, et vous le voleur !

DON CARLOS, *essayant de l'attirer.*
Madame...

DOÑA SOL

Oubliez-vous que mon père était comte ?

DON CARLOS
Je vous ferai duchesse.

DOÑA SOL, *le repoussant.*
Allez ! c'est une honte !

Elle recule de quelques pas.

Il ne peut être rien entre nous, don Carlos.
500 Mon vieux père a pour vous versé son sang à flots.
Moi je suis fille noble, et de ce sang jalouse.
Trop pour la concubine[1], et trop peu pour l'épouse !

DON CARLOS
Princesse !

DOÑA SOL

Roi Carlos, à des filles de rien
Portez votre amourette, ou je pourrais fort bien,

Si vous m'osez traiter d'une façon infâme,
Vous montrer que je suis dame, et que je suis femme!

DON CARLOS
Eh bien! partagez donc et mon trône et mon nom.
Venez! vous serez reine, impératrice!

DOÑA SOL
                                        Non.
C'est un leurre. — Et d'ailleurs, Altesse, avec franchise,
510 S'agit-il pas de vous, s'il faut que je le dise,
J'aime mieux avec lui, mon Hernani, mon roi,
Vivre errante, en dehors du monde et de la loi,
Ayant faim, ayant soif, fuyant toute l'année,
Partageant jour à jour sa pauvre destinée,
Abandon, guerre, exil, deuil, misère et terreur,
Que d'être impératrice avec un empereur!

DON CARLOS
Que cet homme est heureux!

DOÑA SOL
                              Quoi! pauvre, proscrit même!...

DON CARLOS
Qu'il fait bien d'être pauvre et proscrit, puisqu'on
                                                  [l'aime!
— Moi, je suis seul! — Un ange accompagne ses pas!
520 — Donc vous me haïssez?

DOÑA SOL
                          Je ne vous aime pas.

DON CARLOS, *la saisissant avec violence.*
Eh bien! que vous m'aimiez ou non, cela n'importe!
Vous viendrez, et ma main plus que la vôtre est forte.
Vous viendrez! je vous veux! Pardieu, nous verrons
                                                  [bien

Si je suis roi d'Espagne et des Indes pour rien!

DOÑA SOL, *se débattant.*

Seigneur! oh! par pitié! — Quoi! vous êtes altesse!
Vous êtes roi. Duchesse, ou marquise, ou comtesse,
Vous n'avez qu'à choisir. Les femmes de la cour
Ont toujours un amour tout prêt pour votre amour.
Mais mon proscrit, qu'a-t-il reçu du Ciel avare?
530 Ah! vous avez Castille, Aragon et Navarre,
Et Murcie, et Léon, dix royaumes encor!
Et les Flamands, et l'Inde avec les mines d'or!
Vous avez un empire auquel nul roi ne touche,
Si vaste, que jamais le soleil ne s'y couche[1]!
Et quand vous avez tout, voudrez-vous, vous, le roi,
Me prendre, pauvre fille, à lui qui n'a que moi?

Elle se jette à ses genoux. Il cherche à l'entraîner.

DON CARLOS

Viens! Je n'écoute rien! Viens! Si tu m'accompagnes,
Je te donne, choisis, quatre de mes Espagnes!
Dis, lesquelles veux-tu? Choisis!

Elle se débat dans ses bras.

DOÑA SOL

                              Pour mon honneur,
540 Je ne veux rien de vous que ce poignard, seigneur!

*Elle lui arrache le poignard de sa ceinture. Il la lâche
et recule.*

Avancez maintenant! faites un pas!

DON CARLOS

                              La belle!
Je ne m'étonne plus si l'on aime un rebelle!

Il veut faire un pas. Elle lève le poignard.

DOÑA SOL

Pour un pas, je vous tue et me tue!

Il recule encore. Elle se détourne et crie avec force.

                                            Hernani !

Hernani !

DON CARLOS
            Taisez-vous !

DOÑA SOL, *le poignard levé.*
                        Un pas ! tout est fini.

DON CARLOS
      Madame ! à cet excès ma douceur est réduite.
      J'ai là pour vous forcer trois hommes de ma suite...

HERNANI, *surgissant tout à coup derrière lui.*
      Vous en oubliez un !

        *Le roi se retourne et voit Hernani, immobile derrière
        lui, dans l'ombre, les bras croisés sous le long manteau
        qui l'enveloppe, et le large bord de son chapeau relevé.
        — Doña Sol pousse un cri, court à Hernani et l'en-
        toure de ses bras.*

Scène 3

DON CARLOS, DOÑA SOL, HERNANI

HERNANI, *immobile, les bras toujours croisés, et ses yeux
      étincelants fixés sur le roi.*
                              Oh ! le ciel m'est témoin
      Que volontiers je l'eusse été chercher plus loin !

DOÑA SOL
      Hernani, sauvez-moi de lui !

HERNANI
                              Soyez tranquille,
  550 Mon amour !

DON CARLOS

        Que font donc mes amis par la ville ?
Avoir laissé passer ce chef de bohémiens !

   Appelant.

Monterey !

HERNANI

        Vos amis sont au pouvoir des miens,
Et ne réclamez pas leur épée impuissante ;
Pour trois qui vous viendraient, il m'en viendrait
                                [soixante,
Soixante dont un seul vous vaut tous quatre. Ainsi
Vidons entre nous deux notre querelle ici.
Quoi ! vous portiez la main sur cette jeune fille !
C'était d'un imprudent, seigneur roi de Castille,
Et d'un lâche !

DON CARLOS, *souriant avec dédain.*

        Seigneur bandit, de vous à moi
560 Pas de reproche !

HERNANI

        Il raille ! Oh ! je ne suis pas roi !
Mais quand un roi m'insulte et pour surcroît me raille,
Ma colère va haut et me monte à sa taille,
Et, prenez garde, on craint, quand on me fait affront,
Plus qu'un cimier de roi la rougeur de mon front !
Vous êtes insensé si quelque espoir vous leurre.

   Il lui saisit le bras.

Savez-vous quelle main vous étreint à cette heure ?
Écoutez : votre père a fait mourir le mien,
Je vous hais. Vous avez pris mon titre et mon bien,
Je vous hais. Nous aimons tous deux la même femme,
570 Je vous hais, je vous hais, — oui, je te hais dans l'âme!

DON CARLOS

   C'est bien.

HERNANI
            Ce soir pourtant ma haine était bien loin.
Je n'avais qu'un désir, qu'une ardeur, qu'un besoin,
Doña Sol ! — plein d'amour, j'accourais... Sur mon âme !
Je vous trouve essayant contre elle un rapt infâme !
Quoi ! vous que j'oubliais, sur ma route placé !... —
Seigneur, je vous le dis, vous êtes insensé !
Don Carlos, te voilà pris dans ton propre piège !
Ni fuite, ni secours ! je te tiens et t'assiège !
Seul, entouré partout d'ennemis acharnés,
580 Que vas-tu faire ?

DON CARLOS, *fièrement.*
                    Allons ! vous me questionnez !

HERNANI
Va, va, je ne veux pas qu'un bras obscur te frappe.
Il ne sied pas qu'ainsi ma vengeance m'échappe !
Tu ne seras touché par un autre que moi,
Défends-toi donc.

        Il tire son épée.

DON CARLOS
                Je suis votre seigneur le roi.
Frappez, mais pas de duel.

HERNANI
                        Seigneur, qu'il te souvienne
Qu'hier encor ta dague a rencontré la mienne.

DON CARLOS
Je le pouvais hier. J'ignorais votre nom,
Vous ignoriez mon titre. Aujourd'hui, compagnon,
Vous savez qui je suis et je sais qui vous êtes.

HERNANI
590 Peut-être.

DON CARLOS
                    Pas de duel. Assassinez-moi. Faites !

HERNANI
    Crois-tu donc que les rois à moi me sont sacrés [1] ?
    Çà, te défendras-tu ?

DON CARLOS
                            Vous m'assassinerez.
    Ah ! vous croyez, bandits, que vos brigades viles
    Pourront impunément s'épandre dans les villes ?

        *Hernani recule. Don Carlos fixe des yeux d'aigle sur
        lui.*

    Que teints de sang, chargés de meurtres, malheureux !
    Vous pourrez après tout faire les généreux !
    Et que nous daignerons, nous, victimes trompées,
    Anoblir vos poignards du choc de nos épées !
    Non, le crime vous tient. Partout vous le traînez.
600 Nous, des duels avec vous ! arrière ! assassinez.

        *Hernani, sombre et pensif, tourmente quelques instants
        de la main la poignée de son épée, puis se retourne
        brusquement vers le roi, et brise la lame sur le pavé.*

HERNANI
    Va-t'en donc !

        *Le roi se tourne à demi vers lui et le regarde avec
        hauteur.*

                        Nous aurons des rencontres meilleures.
    Va-t'en.

DON CARLOS
        C'est bien, Monsieur. Je vais dans quelques heures
    Rentrer, moi votre roi, dans le palais ducal.
    Mon premier soin sera de mander le fiscal [2].
    A-t-on fait mettre à prix votre tête ?

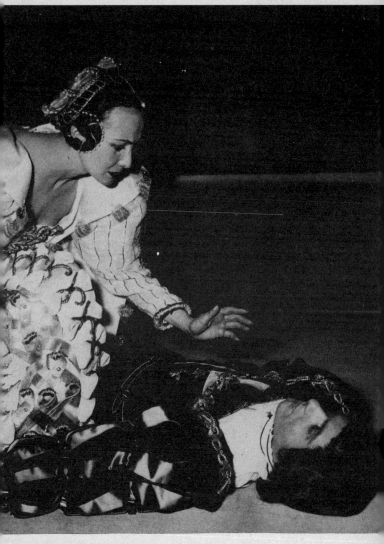

HERNANI

Oui.

DON CARLOS

Mon maître,
Je vous tiens de ce jour sujet rebelle et traître.
Je vous en avertis, partout, je vous poursuis.
Je vous fais mettre au ban[1] du royaume.

HERNANI

J'y suis
Déjà.

DON CARLOS
Bien.

HERNANI

Mais la France est auprès de l'Espagne.
610 C'est un port[2].

DON CARLOS

Je vais être empereur d'Allemagne.
Je vous fais mettre au ban de l'empire.

HERNANI

A ton gré,
J'ai le reste du monde où je te braverai.
Il est plus d'un asile où ta puissance tombe.

DON CARLOS
Et quand j'aurai le monde?

HERNANI

Alors, j'aurai la tombe.

DON CARLOS
Je saurai déjouer vos complots insolents.

HERNANI
La vengeance est boiteuse, elle vient à pas lents,
Mais elle vient.

DON CARLOS, *riant à demi, avec dédain.*
>   Toucher à la dame qu'adore
Ce bandit !

HERNANI, *dont les yeux se rallument.*
>   Songes-tu que je te tiens encore !
Ne me rappelle pas, futur césar romain,
620 Que je t'ai là, chétif et petit dans ma main,
Et que, si je serrais cette main trop loyale,
J'écraserais dans l'œuf ton aigle impériale[1] !

DON CARLOS
Faites !

HERNANI
>   Va-t'en ! va-t'en !

>   *Il ôte son manteau et le jette sur les épaules du roi.*
>   Fuis, et prends ce manteau.
Car dans nos rangs pour toi je crains quelque couteau.

>   *Le roi s'enveloppe du manteau.*

Pars tranquille à présent ! Ma vengeance altérée
Pour tout autre que moi fait ta tête sacrée.

DON CARLOS
Monsieur, vous qui venez de me parler ainsi,
Ne demandez un jour ni grâce ni merci !

>   *Il sort.*

Scène 4

HERNANI, DOÑA SOL

DOÑA SOL, *saisissant la main d'Hernani.*
Maintenant ! fuyons vite !

HERNANI, *la repoussant avec une douceur grave.*
            Il vous sied, mon amie,
630 D'être dans mon malheur toujours plus raffermie,
De n'y point renoncer, et de vouloir toujours
Jusqu'au fond, jusqu'au bout accompagner mes jours.
C'est un noble dessein, digne d'un cœur fidèle !
Mais, tu le vois, mon Dieu, pour tant accepter d'elle,
Pour emporter joyeux dans mon antre avec moi
Ce trésor de beauté qui rend jaloux un roi,
Pour que ma doña Sol me suive et m'appartienne,
Pour lui prendre sa vie et la joindre à la mienne,
Pour l'entraîner sans honte encore et sans regrets,
640 Il n'est plus temps ! je vois l'échafaud de trop près.

DOÑA SOL
Que dites-vous ?

HERNANI
            Ce roi que je bravais en face
Va me punir d'avoir osé lui faire grâce.
Il fuit ! Déjà peut-être il est dans son palais.
Il appelle ses gens, ses gardes, ses valets,
Ses seigneurs, ses bourreaux...

DOÑA SOL
            Hernani ! Dieu ! je tremble !
Eh bien, hâtons-nous donc alors ! Fuyons ensemble !

HERNANI

Ensemble ! Non, non. L'heure en est passée ! Hélas,
Doña Sol, à mes yeux quand tu te révélas,
Bonne, et daignant m'aimer d'un amour secourable,
650 J'ai bien pu vous offrir, moi, pauvre misérable,
Ma montagne, mon bois, mon torrent, — ta pitié
M'enhardissait, — mon pain de proscrit, la moitié
Du lit vert et touffu que la forêt me donne.
Mais t'offrir la moitié de l'échafaud ! pardonne,
Doña Sol, l'échafaud, c'est à moi seul !

DOÑA SOL

                                        Pourtant
Vous me l'aviez promis !

HERNANI, *tombant à ses genoux.*

                              Ange ! ah ! dans cet instant
Où la mort vient peut-être, où s'approche dans l'ombre
Un sombre dénouement pour un destin bien sombre,
Je le déclare ici, proscrit, traînant au flanc
660 Un souci profond, né dans un berceau sanglant,
Si noir que soit le deuil qui s'épand sur ma vie,
Je suis un homme heureux, et je veux qu'on m'envie,
Car vous m'avez aimé ! car vous me l'avez dit !
Car vous avez tout bas béni mon front maudit !

DOÑA SOL, *penchée sur sa tête.*
Hernani !

HERNANI

        Loué soit le sort doux et propice
Qui me mit cette fleur au bord du précipice !

    Il se relève.

Et ce n'est pas pour vous que je parle en ce lieu,
Je parle pour le ciel qui m'écoute et pour Dieu !

DOÑA SOL
   Souffre que je te suive !

HERNANI

                              Oh ! ce serait un crime
670 Que d'arracher la fleur en tombant dans l'abîme !
   Va, j'en ai respiré le parfum ! c'est assez !
   Renoue à d'autres jours tes jours par moi froissés.
   Épouse ce vieillard ! C'est moi qui te délie.
   Je rentre dans ma nuit. Toi, sois heureuse, oublie !

DOÑA SOL
   Non, je te suis ! Je veux ma part de ton linceul !
   Je m'attache à tes pas !

HERNANI, *la serrant dans ses bras.*

                              Oh ! laisse-moi fuir seul !
   [Je suis banni ! je suis proscrit ! je suis funeste !]

      Il la quitte avec un mouvement convulsif et veut
      fuir.

DOÑA SOL, *douloureusement et joignant les mains.*
   Hernani ! tu me fuis ! Ainsi donc, insensée,
   Avoir donné sa vie, et se voir repoussée,
   Et n'avoir, après tant d'amour et tant d'ennui,
680 Pas même le bonheur de mourir près de lui.

HERNANI
   Je suis banni ! je suis proscrit ! je suis funeste !

DOÑA SOL
   Ah ! vous êtes ingrat[1] !

HERNANI, *revenant sur ses pas.*

                              Eh bien ! non ! non, je reste.
   Tu le veux, me voici. Viens, oh ! viens dans mes bras !
   Je reste et resterai tant que tu le voudras.
   Oublions-les ! restons ! —

Il s'assied sur un banc de pierre.

                              Sieds-toi sur cette pierre !

Il se place à ses pieds.

Des flammes de tes yeux inonde ma paupière.
Chante-moi quelque chant comme parfois le soir
Tu m'en chantais, avec des pleurs dans ton œil noir !
Soyons heureux ! buvons, car la coupe est remplie,
690 Car cette heure est à nous, et le reste est folie !
Parle-moi, ravis-moi ! N'est-ce pas qu'il est doux
D'aimer et de savoir qu'on vous aime à genoux ?
D'être deux ? d'être seuls ? et que c'est douce chose
De se parler d'amour la nuit, quand tout repose ?
Oh ! laisse-moi dormir et rêver sur ton sein,
Doña Sol ! mon amour ! ma beauté !...

    Bruit de cloches au loin.

DOÑA SOL, *se levant effarée.*

                              Le tocsin !

Entends-tu le tocsin ?

HERNANI, *toujours à ses genoux.*

                    Eh non ! c'est notre noce
Qu'on sonne.

    *Le bruit des cloches augmente. Cris confus, flambeaux
    et lumières à toutes les fenêtres, sur tous les toits, dans
    toutes les rues.*

DOÑA SOL

              Lève-toi ! fuis ! Grand Dieu ! Saragosse
S'allume !

HERNANI, *se soulevant à demi.*

          Nous aurons une noce aux flambeaux !

DOÑA SOL

700 C'est la noce des morts ! la noce des tombeaux !

Bruit d'épées. Cris.

HERNANI, *se recouchant sur le banc de pierre*[1].
Rendormons-nous !

UN MONTAGNARD, *l'épée à la main, accourant.*

Seigneur ! les sbires, les alcades[2]
Débouchent dans la place en longues cavalcades !
Alerte, monseigneur !

Hernani se lève.

DOÑA SOL, *pâle.*

Ah ! tu l'avais bien dit !

LE MONTAGNARD
Au secours !...

HERNANI, *au montagnard.*

Me voici. C'est bien.

CRIS CONFUS, *au-dehors.*

Mort au bandit !

HERNANI, *au montagnard.*
Ton épée...

A doña Sol.

Adieu donc !

DOÑA SOL

C'est moi qui fais ta perte !
Où vas-tu ?

Lui montrant la petite porte.

Viens, fuyons par cette porte ouverte !

HERNANI
Dieu ! laisser mes amis ! que dis-tu ?

Tumulte et cris.

DOÑA SOL

                                   Ces clameurs
    Me brisent.

    Retenant Hernani.

             Souviens-toi que, si tu meurs, je meurs.

HERNANI, *la tenant embrassée.*
    Un baiser !

DOÑA SOL

             Mon époux ! mon Hernani ! mon maître !...

HERNANI, *la baisant sur le front.*
710 Hélas ! c'est le premier !

DOÑA SOL

                        C'est le dernier peut-être.

    Il part. Elle tombe sur le banc.

Acte III

LE VIEILLARD

LE CHATEAU DE SILVA
Dans les montagnes d'Aragon

La galerie des portraits de la famille de Silva ; grande salle, dont ces portraits, entourés de riches broderies et surmontés de couronnes ducales et d'écussons dorés, font la décoration. Au fond, une haute porte gothique. Entre chaque portrait, une panoplie complète, toutes de siècles différents.

Scène 1

DOÑA SOL, *blanche et debout près d'une table ;*
DON RUY GOMEZ DE SILVA, *assis dans son grand fauteuil ducal en bois de chêne.*

DON RUY GOMEZ
Enfin ! c'est aujourd'hui ! dans une heure on sera
Ma duchesse ! plus d'oncle ! et l'on m'embrassera !
Mais m'as-tu pardonné ? J'avais tort. Je l'avoue.
J'ai fait rougir ton front, j'ai fait pâlir ta joue,

J'ai soupçonné trop vite, et je n'aurais point dû
Te condamner ainsi sans avoir entendu.
Que l'apparence a tort ! injustes que nous sommes !
Certe, ils étaient bien là, les deux beaux jeunes
                                              [hommes !
C'est égal ; je devais n'en pas croire mes yeux.
720 Mais que veux-tu, ma pauvre enfant ! quand on est
                                              [vieux !

DOÑA SOL, *immobile et grave.*
Vous reparlez toujours de cela. Qui vous blâme ?

DON RUY GOMEZ
Moi, j'eus tort. Je devais savoir qu'avec ton âme
On n'a point de galants lorsqu'on est doña Sol,
Et qu'on a dans le cœur de bon sang espagnol !

DOÑA SOL
Certe ! il est bon et pur, monseigneur, et peut-être
On le verra bientôt.

DON RUY GOMEZ, *se levant et allant à elle.*
                     Écoute : on n'est pas maître
De soi-même, amoureux comme je suis de toi,
Et vieux. On est jaloux, on est méchant ; pourquoi ?
Parce que l'on est vieux ; parce que beauté, grâce,
730 Jeunesse dans autrui, tout fait peur, tout menace ;
Parce qu'on est jaloux des autres et honteux
De soi. Dérision ! Que cet amour boiteux,
Qui vous remet au cœur tant d'ivresse et de flamme,
Ait oublié le corps en rajeunissant l'âme !
— Quand passe un jeune pâtre, — oui, c'en est là ! —
                                              [souvent,
Tandis que nous allons, lui chantant, moi rêvant,
Lui dans son pré vert, moi dans mes noires allées,
Souvent je dis tout bas : — Ô mes tours crénelées,
Mon vieux donjon ducal, que je vous donnerais,

740 Oh ! que je donnerais mes blés et mes forêts,
   Et les vastes troupeaux qui tondent mes collines,
   Mon vieux nom, mon vieux titre, et toutes mes ruines,
   Et tous mes vieux aïeux, qui bientôt m'attendront,
   Pour sa chaumière neuve, et pour son jeune front !
   Car ses cheveux sont noirs, car son œil reluit comme
   Le tien. Tu peux le voir et dire : Ce jeune homme !
   Et puis penser à moi qui suis vieux. Je le sais !
   Pourtant j'ai nom Silva ; mais ce n'est plus assez !
   Oui, je me dis cela. Vois à quel point je t'aime.
750 Le tout, pour être jeune et beau comme toi-même !
   Mais à quoi vais-je ici rêver ? Moi, jeune et beau !
   Qui te dois de si loin devancer au tombeau !

DOÑA SOL
   Qui sait ?

DON RUY GOMEZ
            Mais va, crois-moi, ces cavaliers frivoles
   N'ont pas d'amour si grand qu'il ne s'use en paroles.
   Qu'une fille aime et croie un de ces jouvenceaux,
   Elle en meurt, il en rit. Tous ces jeunes oiseaux,
   A l'aile vive et peinte, au langoureux ramage,
   Ont un amour qui mue ainsi que leur plumage[1].
   Les vieux, dont l'âge éteint la voix et les couleurs,
760 Ont l'aile plus fidèle, et, moins beaux, sont meilleurs.
   Nous aimons bien. — Nos pas sont lourds ? nos yeux
                                              [arides ?
   Nos fronts ridés ? Au cœur on n'a jamais de rides.
   Hélas ! quand un vieillard aime, il faut l'épargner.
   Le cœur est toujours jeune et peut toujours saigner.
   Oh ! mon amour n'est point comme un jouet de verre
   Qui brille et tremble ; oh non ! c'est un amour sévère,
   Profond, solide, sûr, paternel, amical,
   De bois de chêne, ainsi que mon fauteuil ducal !

Voilà comme je t'aime, et puis je t'aime encore
770 De cent autres façons : comme on aime l'aurore,
Comme on aime les fleurs, comme on aime les cieux !
De te voir tous les jours, toi, ton pas gracieux,
Ton front pur, le beau feu de ta fière prunelle,
Je ris, et j'ai dans l'âme une fête éternelle !

DOÑA SOL
Hélas !

DON RUY GOMEZ
        Et puis, vois-tu ? le monde trouve beau,
Lorsqu'un homme s'éteint et, lambeau par lambeau
S'en va, lorsqu'il trébuche au marbre de la tombe,
Qu'une femme, ange pur, innocente colombe,
Veille sur lui, l'abrite et daigne encor souffrir
780 L'inutile vieillard qui n'est bon qu'à mourir !
C'est une œuvre sacrée et qu'à bon droit on loue
Que ce suprême effort d'un cœur qui se dévoue,
Qui console un mourant jusqu'à la fin du jour,
Et, sans aimer peut-être, a des semblants d'amour !
Oh ! tu seras pour moi cet ange au cœur de femme
Qui du pauvre vieillard réjouit encor l'âme,
Et de ses derniers ans lui porte la moitié,
Fille par le respect et sœur par la pitié !

DOÑA SOL
Loin de me précéder, vous pourrez bien me suivre,
790 Monseigneur. Ce n'est pas une raison pour vivre
Que d'être jeune. Hélas ! je vous le dis, souvent
Les vieillards sont tardifs, les jeunes vont devant !
Et leurs yeux brusquement referment leur paupière,
Comme un sépulcre ouvert dont retombe la pierre !

DON RUY GOMEZ
Oh ! les sombres discours ! Mais je vous gronderai,
Enfant ! un pareil jour est joyeux et sacré.

Comment, à ce propos, quand l'heure nous appelle,
N'êtes-vous pas encor prête pour la chapelle ?
Mais vite ! habillez-vous. Je compte les instants.
800 La parure de noce !

DOÑA SOL

Il sera toujours temps.

DON RUY GOMEZ
Non pas.

Entre un page.

Que veut Iaquez ?

LE PAGE

Monseigneur, à la porte,
Un homme, un pèlerin, un mendiant, n'importe,
Est là qui vous demande asile.

DON RUY GOMEZ

Quel qu'il soit,
Le bonheur entre avec l'étranger qu'on reçoit,
Qu'il vienne. — Du dehors a-t-on quelques nouvelles ?
Que dit-on de ce chef de bandits infidèles
Qui remplit nos forêts de sa rébellion ?

LE PAGE
C'en est fait d'Hernani ; c'en est fait du lion
De la montagne.

DOÑA SOL, *à part.*
Dieu !

DON RUY GOMEZ, *au page.*
Quoi ?

LE PAGE

La troupe est détruite.
810 Le roi, dit-on, s'est mis lui-même à leur poursuite.

      La tête d'Hernani vaut mille écus du roi
      Pour l'instant ; mais on dit qu'il est mort.

DOÑA SOL, *à part.*

                               Quoi ! sans moi,
      Hernani !

DON RUY GOMEZ

           Grâce au ciel ! il est mort, le rebelle !
      On peut se réjouir maintenant, chère belle.
      Allez donc vous parer, mon amour, mon orgueil.
      Aujourd'hui, double fête !

DOÑA SOL, *à part.*

                       Oh ! des habits de deuil !

      Elle sort.

DON RUY GOMEZ, *au page.*
      Fais-lui vite porter l'écrin que je lui donne.

      Il se rassied dans son fauteuil.

      Je veux la voir parée ainsi qu'une madone,
      Et, grâce à ses doux yeux et grâce à mon écrin,
820 Belle à faire à genoux tomber un pèlerin.
      A propos, et celui qui nous demande un gîte !
      Dis-lui d'entrer, fais-lui nos excuses, cours vite.

      Le page salue et sort.

      Laisser son hôte attendre ! ah ! c'est mal !

      *La porte du fond s'ouvre. Paraît Hernani déguisé en
      pèlerin. Le duc se lève.*

Scène 2

DON RUY GOMEZ, HERNANI *déguisé en pèlerin.*

Hernani s'arrête sur le seuil de la porte.

HERNANI

                                  Monseigneur,
Paix et bonheur à vous !

DON RUY GOMEZ, *le saluant de la main.*

                     A toi paix et bonheur,
Mon hôte !

Hernani entre. Le duc se rassied.

          N'es-tu pas pèlerin ?

HERNANI, *s'inclinant.*

                     Oui.

DON RUY GOMEZ

                   Sans doute
Tu viens d'Armillas[1] ?

HERNANI

              Non. J'ai pris une autre route.
On se battait par là.

DON RUY GOMEZ

          La troupe du banni,
N'est-ce pas ?

HERNANI

        Je ne sais.

DON RUY GOMEZ

            Le chef, le Hernani,
Que devient-il ? sais-tu ?

HERNANI

Seigneur, quel est cet homme ?

DON RUY GOMEZ

830 Tu ne le connais pas ? tant pis ! la grosse somme
Ne sera point pour toi. Vois-tu ? ce Hernani,
C'est un rebelle au roi, trop longtemps impuni.
Si tu vas à Madrid, tu le pourras voir pendre.

HERNANI
Je n'y vais pas.

DON RUY GOMEZ

Sa tête est à qui veut la prendre.

HERNANI, *à part.*
Qu'on y vienne !

DON RUY GOMEZ

Où vas-tu, bon pèlerin ?

HERNANI

Seigneur,
Je vais à Saragosse.

DON RUY GOMEZ

Un vœu fait en l'honneur
D'un saint ? de Notre-Dame ?...

HERNANI

Oui, duc, de Notre-Dame.

DON RUY GOMEZ
Del Pilar[1] ?

HERNANI

Del Pilar.

DON RUY GOMEZ

Il faut n'avoir point d'âme
Pour ne point acquitter les vœux qu'on fait aux saints.

840 Mais, le tien accompli, n'as-tu d'autres desseins ?
Voir le Pilier, c'est là tout ce que tu désires ?

HERNANI

Oui, je veux voir brûler les flambeaux et les cires,
Voir Notre-Dame, au fond du sombre corridor,
Luire en sa châsse ardente avec sa chape d'or,
Et puis m'en retourner.

DON RUY GOMEZ

                    Fort bien. — Ton nom, mon frère ?
Je suis Ruy de Silva.

HERNANI, *hésitant.*

                    Mon nom ?...

DON RUY GOMEZ

                            Tu peux le taire
Si tu veux. Nul n'a droit de le savoir ici.
Viens-tu pas demander asile ?

HERNANI

                        Oui, duc.

DON RUY GOMEZ

                              Merci.
Sois le bienvenu ! — Reste, ami, ne te fais faute
850 De rien. Quant à ton nom, tu te nommes mon hôte.
Qui que tu sois, c'est bien ; et, sans être inquiet,
J'accueillerais Satan, si Dieu me l'envoyait.

*La porte du fond s'ouvre à deux battants. Entre doña
Sol, en parure de mariée. Derrière elle, pages, valets, et
deux femmes portant sur un coussin de velours un coffret d'argent ciselé, qu'elles vont déposer sur une table,
et qui renferme un riche écrin, couronne de duchesse,
bracelets, colliers, perles et brillants pêle-mêle. — Hernani, haletant et effaré, considère doña Sol avec des
yeux ardents sans écouter le duc.*

Scène 3

LES MÊMES, DOÑA SOL,
PAGES, VALETS, FEMMES

DON RUY GOMEZ, *continuant.*
    — Voici ma Notre-Dame à moi. L'avoir priée
Te portera bonheur !

  *Il va présenter la main à doña Sol, toujours pâle et
  grave.*

       Ma belle mariée,
Venez ! — Quoi ! pas d'anneau ! pas de couronne
             [encor !

HERNANI, *d'une voix tonnante.*
    Qui veut gagner ici mille carolus d'or ?

  *Tous se retournent étonnés. Il déchire sa robe de pèle-
  rin, la foule aux pieds et en sort en costume de montagnard.*

Je suis Hernani.

DOÑA SOL, *à part, avec joie.*
     Ciel ! vivant !

HERNANI, *aux valets.*
        Je suis cet homme
Qu'on cherche !

  Au duc.

     Vous vouliez savoir si je me nomme
Perez ou Diego ? — Non, je me nomme Hernani !
860 C'est un bien plus beau nom, c'est un nom de banni,

C'est un nom de proscrit ! Vous voyez cette tête ?
Elle vaut assez d'or pour payer votre fête !

    Aux valets.

Je vous la donne à tous ! vous serez bien payés !
Prenez ! liez mes mains ! liez mes pieds ! liez !
Mais non, c'est inutile, une chaîne me lie
Que je ne romprai point !

DOÑA SOL, *à part.*

              Malheureuse !

DON RUY GOMEZ

                 Folie !
Çà, mon hôte est un fou !

HERNANI

             Votre hôte est un bandit !

DOÑA SOL
Oh ! ne l'écoutez pas !

HERNANI

            J'ai dit ce que j'ai dit.

DON RUY GOMEZ
Mille carolus d'or ! Monsieur, la somme est forte,
870 Et je ne suis pas sûr de tous mes gens !

HERNANI

                   Qu'importe !
Tant mieux, si dans le nombre il s'en trouve un qui
                       [veut !

    Aux valets.

Livrez-moi ! vendez-moi !

DON RUY GOMEZ, *s'efforçant de le faire taire.*

            Taisez-vous donc ! On peut
Vous prendre au mot !

HERNANI

Amis ! l'occasion est belle !
Je vous dis que je suis le proscrit, le rebelle,
Hernani !

DON RUY GOMEZ
Taisez-vous !

HERNANI

Hernani !

DOÑA SOL, *d'une voix éteinte, à son oreille.*
Oh ! tais-toi !

HERNANI, *se détournant à demi vers doña Sol.*
On se marie ici ! Je veux en être, moi !
Mon épousée aussi m'attend !

Au duc.

Elle est moins belle
Que la vôtre, seigneur, mais n'est pas moins fidèle.
C'est la mort !

Aux valets.

Nul de vous ne fait un pas encor ?

DOÑA SOL, *bas.*
880 Par pitié !

HERNANI, *aux valets.*
Hernani ! mille carolus d'or !

DON RUY GOMEZ
C'est le démon !

HERNANI, *à un jeune valet.*
Viens, toi, tu gagneras la somme.
Riche alors, de valet tu redeviendras homme !

Aux valets qui restent immobiles.

Vous aussi, vous tremblez ! ai-je assez de malheur !

DON RUY GOMEZ

    Frère, à toucher ta tête ils risqueraient la leur !
    Fusses-tu Hernani, fusses-tu cent fois pire,
    Pour ta vie au lieu d'or offrît-on un empire,
    Mon hôte ! je te dois protéger en ce lieu
    Même contre le roi, car je te tiens de Dieu !
    S'il tombe un seul cheveu de ton front, que je meure !

    A doña Sol.

890 Ma nièce, vous serez ma femme dans une heure ;
    Rentrez chez vous ; je vais faire armer le château,
    J'en vais fermer la porte.

    Il sort. Les valets le suivent.

HERNANI, *regardant avec désespoir sa ceinture dégarnie et*
    désarmée.

                       Oh ! pas même un couteau !

    Doña Sol, après que le duc a disparu, fait quelques
    pas comme pour suivre ses femmes, puis s'arrête, et
    dès qu'elles sont sorties, revient vers Hernani avec
    anxiété.

Scène 4

HERNANI, DOÑA SOL

    Hernani considère avec un regard froid et comme inat-
    tentif l'écrin nuptial placé sur la table ; puis il hoche la
    tête, et ses yeux s'allument.

HERNANI

    Je vous fais compliment ! — Plus que je ne puis dire
    La parure me charme, et m'enchante, — et j'admire !

Il s'approche de l'écrin.

La bague est de bon goût, — la couronne me plaît, —
Le collier est d'un beau travail, — le bracelet
Est rare, — mais cent fois, cent fois moins que la
                                            [femme
Qui sous un front si pur cache ce cœur infâme !

Examinant de nouveau le coffret.

Et qu'avez-vous donné pour tout cela ? — Fort bien !
900 Un peu de votre amour ? mais vraiment, c'est pour
                                            [rien !
Grand Dieu ! trahir ainsi ! n'avoir pas honte, et vivre !

Examinant l'écrin.

— Mais peut-être après tout c'est perle fausse, et cuivre
Au lieu d'or, verre et plomb, diamants déloyaux,
Faux saphirs, faux bijoux, faux brillants, faux joyaux.
Ah ! s'il en est ainsi, comme cette parure,
Ton cœur est faux, duchesse, et tu n'es que dorure !

Il revient au coffret.

— Mais non, non. Tout est vrai, tout est bon, tout est
                                            [beau.
Il n'oserait tromper, lui qui touche au tombeau !
Rien n'y manque.

Il prend l'une après l'autre toutes les pièces de l'écrin.

                Collier, brillants, pendants d'oreille,
910 Couronne de duchesse, anneau d'or..., à merveille !
Grand merci de l'amour sûr, fidèle et profond !
Le précieux écrin !

DOÑA SOL

Elle va au coffret, y fouille, et en tire un poignard.

Vous n'allez pas au fond. —
C'est le poignard qu'avec l'aide de ma patronne
Je pris au roi Carlos, lorsqu'il m'offrit un trône,
Et que je refusai pour vous qui m'outragez !

HERNANI, *tombant à ses pieds.*

Oh ! laisse qu'à genoux dans tes yeux affligés
J'efface tous ces pleurs amers et pleins de charmes !
Et tu prendras après tout mon sang pour tes larmes !

DOÑA SOL, *attendrie.*

Hernani ! je vous aime et vous pardonne, et n'ai
920 Que de l'amour pour vous.

HERNANI

Elle m'a pardonné,
Et m'aime ! Qui pourra faire aussi que moi-même,
Après ce que j'ai dit, je me pardonne et m'aime ?
Oh ! je voudrais savoir, ange au ciel réservé,
Où vous avez marché, pour baiser le pavé !

DOÑA SOL

Ami !

HERNANI

Non ! je dois t'être odieux ! Mais, écoute,
Dis-moi : je t'aime ! — Hélas ! rassure un cœur qui
Dis-le-moi ! car souvent avec ce peu de mots   [doute,
La bouche d'une femme a guéri bien des maux !

DOÑA SOL, *absorbée et sans l'entendre.*

Croire que mon amour eût si peu de mémoire !
930 Que jamais ils pourraient, tous ces hommes sans gloire,
Jusqu'à d'autres amours, plus nobles à leur gré,
Rapetisser un cœur où son nom est entré !

HERNANI

Hélas ! j'ai blasphémé ! Si j'étais à ta place,

Doña Sol, j'en aurais assez, je serais lasse
De ce fou furieux, de ce sombre insensé
Qui ne sait caresser qu'après qu'il a blessé.
Je lui dirais : Va-t'en ! — Repousse-moi, repousse !
Et je te bénirai, car tu fus bonne et douce,
Car tu m'as supporté trop longtemps, car je suis
940 Mauvais, je noircirais tes jours avec mes nuits !
Car c'en est trop enfin, ton âme est belle et haute
Et pure, et si je suis méchant, est-ce ta faute ?
Épouse le vieux duc ! il est bon, noble, il a
Par sa mère Olmedo, par son père Alcala.
Encore un coup, sois riche avec lui, sois heureuse !
Moi, sais-tu ce que peut cette main généreuse
T'offrir de magnifique ? une dot de douleurs.
Tu pourras y choisir ou du sang ou des pleurs.
L'exil, les fers, la mort, l'effroi qui m'environne,
950 C'est là ton collier d'or, c'est ta belle couronne,
Et jamais à l'épouse un époux plein d'orgueil
N'offrit plus riche écrin de misère et de deuil !
Épouse le vieillard, te dis-je ! il te mérite !
Eh ! qui jamais croira que ma tête proscrite
Aille avec ton front pur ? qui, nous voyant tous deux,
Toi, calme et belle, moi, violent, hasardeux,
Toi, paisible et croissant comme une fleur à l'ombre,
Moi, heurté dans l'orage à des écueils sans nombre,
Qui dira que nos sorts suivent la même loi ?
960 Non. Dieu qui fait tout bien ne te fit pas pour moi.
Je n'ai nul droit d'en haut sur toi, je me résigne !
J'ai ton cœur, c'est un vol ! je le rends au plus digne.
Jamais à nos amours le ciel n'a consenti.
Si j'ai dit que c'était ton destin, j'ai menti !
D'ailleurs, vengeance, amour, adieu ! mon jour s'achève.
Je m'en vais, inutile, avec mon double rêve,
Honteux de n'avoir pu ni punir, ni charmer,
Qu'on m'ait fait pour haïr, moi qui n'ai su qu'aimer !

*Michel Herbault et Anne Carrère. Mise en scène de
Julien Bertheau (Théâtre de l'Ambigu, 1963.)*

Pardonne-moi ! fuis-moi ! ce sont mes deux prières.
970 Ne les rejette pas, car ce sont les dernières !
Tu vis, et je suis mort. Je ne vois pas pourquoi
Tu te ferais murer dans ma tombe avec moi !

DOÑA SOL
Ingrat !

HERNANI
        Monts d'Aragon ! Galice ! Estramadoure ! —
Oh ! je porte malheur à tout ce qui m'entoure ! —
J'ai pris vos meilleurs fils ; pour mes droits, sans
                                              [remords
Je les ai fait combattre, et voilà qu'ils sont morts !
C'étaient les plus vaillants de la vaillante Espagne !
Ils sont morts ! ils sont tous tombés dans la montagne,
Tous sur le dos couchés, en braves, devant Dieu,
980 Et si leurs yeux s'ouvraient, ils verraient le ciel bleu !
Voilà ce que je fais de tout ce qui m'épouse !
Est-ce une destinée à te rendre jalouse ?
Doña Sol, prends le duc, prends l'enfer, prends le roi !
C'est bien. Tout ce qui n'est pas moi vaut mieux que
                                              [moi !
Je n'ai plus un ami qui de moi se souvienne,
Tout me quitte, il est temps qu'à la fin ton tour vienne,
Car je dois être seul. Fuis ma contagion.
Ne te fais pas d'aimer une religion !
Oh ! par pitié pour toi, fuis! — Tu me crois peut-être
990 Un homme comme sont tous les autres, un être
Intelligent, qui court droit au but qu'il rêva.
Détrompe-toi. Je suis une force qui va !
Agent aveugle et sourd de mystères funèbres !
Une âme de malheur faite avec des ténèbres !
Où vais-je ? je ne sais. Mais je me sens poussé
D'un souffle impétueux, d'un destin insensé.
Je descends, je descends, et jamais ne m'arrête.

Si parfois, haletant, j'ose tourner la tête,
Une voix me dit : Marche ! et l'abîme est profond,
1000 Et de flamme ou de sang je le vois rouge au fond !
Cependant, à l'entour de ma course farouche,
Tout se brise, tout meurt. Malheur à qui me touche !
Oh ! fuis ! détourne-toi de mon chemin fatal.
Hélas ! sans le vouloir, je te ferais du mal !

DOÑA SOL
Grand Dieu !

HERNANI
            C'est un démon redoutable, te dis-je,
Que le mien. Mon bonheur, voilà le seul prodige
Qui lui soit impossible. Et toi, c'est le bonheur !
Tu n'es donc pas pour moi, cherche un autre seigneur !
Va, si jamais le ciel à mon sort qu'il renie
1010 Souriait... n'y crois pas ! ce serait ironie.
Épouse le duc !

DOÑA SOL
          Donc ce n'était pas assez !
Vous aviez déchiré mon cœur, vous le brisez.
Ah ! vous ne m'aimez plus !

HERNANI
                Oh ! mon cœur et mon âme,
C'est toi ! l'ardent foyer d'où me vient toute flamme,
C'est toi ! Ne m'en veux pas de fuir, être adoré !

DOÑA SOL
Je ne vous en veux pas. Seulement, j'en mourrai.

HERNANI
Mourir ! pour qui ? pour moi ? se peut-il que tu meures
Pour si peu ?

DOÑA SOL, *laissant éclater ses larmes.*
        Voilà tout.

Elle tombe sur un fauteuil.

HERNANI, *s'asseyant près d'elle.*

       Oh ! tu pleures ! tu pleures !
Et c'est encor ma faute ! Et qui me punira ?
1020 Car tu pardonneras encor ! Qui te dira
Ce que je souffre au moins, lorsqu'une larme noie
La flamme de tes yeux dont l'éclair est ma joie ?
Oh ! mes amis sont morts ! oh ! je suis insensé !
Pardonne. Je voudrais aimer, je ne le sai !
Hélas ! j'aime pourtant d'une amour bien profonde ! —
Ne pleure pas, mourons plutôt ! — Que n'ai-je un
           [monde ?
Je te le donnerais ! Je suis bien malheureux !

DOÑA SOL, *se jetant à son cou.*
Vous êtes mon lion superbe et généreux !
Je vous aime.

HERNANI

     Oh ! l'amour serait un bien suprême
1030 Si l'on pouvait mourir de trop aimer !

DOÑA SOL

         Je t'aime !
Monseigneur ! Je vous aime et je suis toute à vous.

HERNANI, *laissant tomber sa tête sur son épaule.*
Oh ! qu'un coup de poignard de toi me serait doux !

DOÑA SOL, *suppliante.*
Ah ! ne craignez-vous pas que Dieu ne vous punisse
De parler de la sorte ?

HERNANI, *toujours appuyé sur son sein.*
       Eh bien ! qu'il nous unisse !
Tu le veux. Qu'il en soit ainsi ! — J'ai résisté[1].

*Tous deux, dans les bras l'un de l'autre, se regardent
avec extase, sans voir, sans entendre, et comme absor-*

*bés dans leur regard. — Entre don Ruy Gomez par la
porte du fond. Il regarde, et s'arrête comme pétrifié sur
le seuil.*

Scène 5

HERNANI, DOÑA SOL,
DON RUY GOMEZ, *puis* UN PAGE

DON RUY GOMEZ, *immobile et croisant les bras sur le
seuil de la porte.*
Voilà donc le paiement de l'hospitalité !

DOÑA SOL
Dieu ! le duc !

*Tous deux se retournent, comme réveillés en sur-
saut.*

DON RUY GOMEZ, *toujours immobile.*
     C'est donc là mon salaire, mon hôte ?
— Bon seigneur, va-t'en voir si ta muraille est haute,
Si la porte est bien close et l'archer dans sa tour,
1040 De ton château pour nous fais et refais le tour,
Cherche en ton arsenal une armure à ta taille,
Ressaie à soixante ans ton harnais[1] de bataille,
Voici la loyauté dont nous paierons ta foi !
Tu fais cela pour nous, et nous ceci pour toi !
Saints du ciel ! — J'ai vécu plus de soixante années,
J'ai rencontré parfois des âmes effrénées,
J'ai souvent, en tirant ma dague du fourreau,
Fait lever sur mes pas des gibiers de bourreau ;
J'ai vu des assassins, des monnayeurs, des traîtres ;
1050 De faux valets, à table empoisonnant leurs maîtres ;
J'en ai vu qui mouraient sans croix et sans pater ;

J'ai vu Sforce[1], j'ai vu Borgia, je vois Luther[2];
Mais je n'ai jamais vu perversité si haute
Qui n'eût craint le tonnerre en trahissant son hôte!
Ce n'est pas de mon temps. — Si noire trahison
Pétrifie un vieillard au seuil de sa maison,
Et fait que le vieux maître, en attendant qu'il tombe,
A l'air d'une statue à mettre sur sa tombe!
Maures et Castillans! quel est cet homme-ci?

> *Il lève les yeux et les promène sur les portraits qui
> entoure la salle.*

1060 Ô vous! tous les Silva, qui m'écoutez ici,
Pardon, si devant vous, pardon, si ma colère
Dit l'hospitalité mauvaise conseillère!

HERNANI, *se levant.*
    Duc...

DON RUY GOMEZ
        Tais-toi! —

> *Il fait lentement trois pas dans la salle et promène ses
> regards sur les portraits des Silva.*

                    Morts sacrés! aïeux! hommes de fer!
Qui voyez ce qui vient du ciel et de l'enfer,
Dites-moi, messeigneurs, dites! quel est cet homme?
Ce n'est pas Hernani, c'est Judas qu'on le nomme!
Oh! tâchez de parler pour me dire son nom!

> *Croisant les bras.*

Avez-vous de vos jours vu rien de pareil? Non!

HERNANI
    Seigneur duc...

DON RUY GOMEZ, *toujours aux portraits.*
            Voyez-vous? il veut parler, l'infâme!
1070 Mais, mieux encor que moi, vous lisez dans son âme.

Oh ! ne l'écoutez pas ! c'est un fourbe ! il prévoit
Que mon bras va sans doute ensanglanter mon toit,
Que peut-être mon cœur couve dans ses tempêtes
Quelque vengeance, sœur du festin des Sept Têtes[1].
Il vous dira qu'il est proscrit, il vous dira
Qu'on va dire Silva comme l'on dit Lara,
Et puis qu'il est mon hôte, et puis qu'il est votre
                                 [hôte... —
Mes aïeux, messeigneurs, voyez, est-ce ma faute ?
Jugez entre nous deux !

HERNANI

                       Ruy Gomez de Silva,
1080 Si jamais vers le ciel noble front s'éleva,
Si jamais cœur fut grand, si jamais âme haute,
C'est la vôtre, seigneur ! c'est la tienne, ô mon hôte !
Moi qui te parle ici, je suis coupable, et n'ai
Rien à dire, sinon que je suis bien damné.
Oui, j'ai voulu te prendre et t'enlever ta femme ;
Oui, j'ai voulu souiller ton lit ; oui, c'est infâme !
J'ai du sang : tu feras très bien de le verser,
D'essuyer ton épée et de n'y plus penser !

DOÑA SOL

Seigneur, ce n'est pas lui ! ne frappez que moi-même !

HERNANI
1090 Taisez-vous, doña Sol. Car cette heure est suprême !
Cette heure m'appartient. Je n'ai plus qu'elle. Ainsi
Laissez-moi m'expliquer avec le duc ici.
Duc ! — crois aux derniers mots de ma bouche, j'en
                                        [jure,
Je suis coupable, mais sois tranquille, — elle est pure !
C'est là tout. Moi coupable, elle pure ; ta foi
Pour elle, — un coup d'épée ou de poignard pour moi.
Voilà. — Puis fais jeter le cadavre à la porte
Et laver le plancher, si tu veux, il n'importe !

DOÑA SOL

Ah ! moi seule ai tout fait. Car je l'aime.

*Don Ruy se détourne à ce mot en tressaillant, et
fixe sur doña Sol un regard terrible. Elle se jette à ses
genoux.*

Oui, pardon !

1100 Je l'aime, monseigneur !

DON RUY GOMEZ

Vous l'aimez !

A Hernani.

Tremble donc !

*Bruit de trompettes au-dehors. — Entre le page.
Au page.*

Qu'est ce bruit ?

LE PAGE

C'est le roi, monseigneur, en personne,
Avec un gros d'archers et son héraut qui sonne.

DOÑA SOL

Dieu ! le roi ! dernier coup !

LE PAGE, *au duc.*

Il demande pourquoi
La porte est close, et veut qu'on ouvre.

DON RUY GOMEZ

Ouvrez au roi.

Le page s'incline et sort.

DOÑA SOL

Il est perdu.

*Don Ruy Gomez va à l'un des tableaux, qui est son
propre portrait et le dernier à gauche ; il presse un*

ressort, le portrait s'ouvre comme une porte, et laisse
voir une cachette pratiquée dans le mur. Il se tourne
vers Hernani.

DON RUY GOMEZ

    Monsieur, venez ici.

HERNANI

        Ma tête
Est à toi. Livre-la, seigneur. Je la tiens prête.
Je suis ton prisonnier.

   Il entre dans la cachette. Don Ruy presse de nouveau le
   ressort, tout se referme, et le portrait revient à sa
   place.

DOÑA SOL, *au duc.*

      Seigneur, pitié pour lui !

LE PAGE, *entrant.*
  Son Altesse le roi !

   Doña Sol baisse précipitamment son voile. — La porte
   s'ouvre à deux battants. Entre don Carlos en habit de
   guerre, suivi d'une foule de gentilshommes également
   armés, de pertuisaniers, d'arquebusiers, d'arbalétriers.

Scène 6

DON RUY GOMEZ, DOÑA SOL, *voilée,*
DON CARLOS, SUITE

Don Carlos s'avance à pas lents, la main gauche sur le
pommeau de son épée, la droite dans sa poitrine, et
fixe sur le vieux duc un œil de défiance et de colère. Le
duc va au-devant du roi et le salue profondément. —

Silence. — Attente et terreur alentour. Enfin, le roi, arrivé en face du duc, lève brusquement la tête.

DON CARLOS

D'où vient donc aujourd'hui,
Mon cousin, que ta porte est si bien verrouillée ?
1110 Par les saints ! je croyais ta dague plus rouillée !
Et je ne savais pas qu'elle eût hâte à ce point,
Quand nous te venons voir, de reluire à ton poing !

Don Ruy Gomez veut parler, le roi poursuit avec un geste impérieux.

C'est s'y prendre un peu tard pour faire le jeune
[homme !
Avons-nous des turbans ? serait-ce qu'on me nomme
Boabdil ou Mahom[1], et non Carlos, répond !
Pour nous baisser la herse et nous lever le pont ?

DON RUY GOMEZ, *s'inclinant.*
Seigneur...

DON CARLOS, *à ses gentilshommes.*
Prenez les clefs, saisissez-vous des portes !

Deux officiers sortent. Plusieurs autres rangent les soldats en triple haie dans la salle, du roi à la grande porte. Don Carlos se retourne vers le duc.

Ah ! vous réveillez donc les rébellions mortes !
Pardieu, si vous prenez de ces airs avec moi,
1120 Messieurs les ducs, le roi prendra des airs de roi !
Et j'irai par les monts, de mes mains aguerries,
Dans leurs nids crénelés tuer les seigneuries !

DON RUY GOMEZ, *se redressant.*
Altesse, les Silva sont loyaux...

DON CARLOS, *l'interrompant.*
Sans détours,
Réponds, duc ! ou je fais raser tes onze tours !

De l'incendie éteint il reste une étincelle,
Des bandits morts il reste un chef. Qui le recèle ?
C'est toi ! Ce Hernani, rebelle empoisonneur,
Ici, dans ton château, tu le caches !

DON RUY GOMEZ

> Seigneur,
C'est vrai.

DON CARLOS

> Fort bien. Je veux sa tête — ou bien la tienne,
1130 Entends-tu, mon cousin ?

DON RUY GOMEZ, *s'inclinant.*

> Mais qu'à cela ne tienne !...
Vous serez satisfait.

> *Doña Sol cache sa tête dans ses mains et tombe sur le
> fauteuil.*

DON CARLOS, *radouci.*

> Ah ! tu t'amendes ! — Va
Chercher mon prisonnier.

> *Le duc croise les bras, baisse la tête et reste quelques
> moments rêveur. Le roi et doña Sol l'observent en
> silence et agités d'émotions contraires. Enfin le duc
> relève son front, va au roi, lui prend la main, et le
> mène à pas lents devant le plus ancien des portraits,
> celui qui commence la galerie à droite du specta-
> teur.*

DON RUY GOMEZ, *montrant au roi le vieux portrait.*

> Celui-ci, des Silva
C'est l'aîné, c'est l'aïeul, l'ancêtre, le grand homme !
Don Silvius, qui fut trois fois consul de Rome.

> *Passant au portrait suivant.*

Voici don Galceran de Silva, l'autre Cid !
On lui garde à Toro, près de Valladolid,

Une châsse dorée où brûlent mille cierges.
Il affranchit Léon du tribut des cent vierges !

   Passant à un autre.

   — Don Blas, — qui, de lui-même et dans sa bonne foi,
1140 S'exila pour avoir mal conseillé le roi.

   A un autre.

   — Christoval ! — Au combat d'Escalona, don Sanche,
Le roi, fuyait à pied, et sur sa plume blanche
Tous les coups s'acharnaient ; il cria : Christoval !
Christoval prit la plume et donna son cheval.

   A un autre.

   — Don Jorge, — qui paya la rançon de Ramire,
Roi d'Aragon.

DON CARLOS, *croisant les bras et le regardant de la tête
aux pieds.*

          Pardieu ! don Ruy, je vous admire !
Continuez !

DON RUY GOMEZ, *passant à un autre.*
       Voici Ruy Gomez de Silva,
Grand maître de Saint-Jacque et de Calatrava.
Son armure géante irait mal à nos tailles ;
1150 Il prit trois cents drapeaux, gagna trente batailles,
Conquit au roi Motril, Antequera, Suez,
Nijar[1], et mourut pauvre. — Altesse, saluez !

   *Il s'incline, se découvre et passe à un autre. — Le roi
l'écoute avec une impatience et une colère toujours
croissantes.*

Près de lui, Gil, son fils, cher aux âmes loyales.
Sa main pour un serment valait les mains royales.

   A un autre.

— Don Gaspar, de Mendoce et de Silva l'honneur !
Toute noble maison tient à Silva, seigneur.
Sandoval tour à tour nous craint ou nous épouse.
Manrique nous envie et Lara nous jalouse.
Alencastre nous hait. Nous touchons à la fois
1160 Du pied à tous les ducs, du front à tous les rois !

DON CARLOS.
Vous raillez-vous ?...

DON RUY GOMEZ, *allant à d'autres portraits.*
                    Voilà don Vasquez, dit le Sage ;
Don Jayme, dit le Fort. Un jour, sur son passage,
Il arrêta Zamet et cent Maures tout seul. —
J'en passe, et des meilleurs. —

*Sur un geste de colère du roi, il passe un grand nombre
de tableaux, et vient tout de suite aux trois derniers
portraits à gauche du spectateur.*

                                Voici mon noble aïeul.
Il vécut soixante ans, gardant la foi jurée,
Même aux juifs. —

A l'avant-dernier.

                    Ce vieillard, cette tête sacrée,
C'est mon père. Il fut grand, quoiqu'il vînt le dernier.
Les Maures de Grenade avaient fait prisonnier
Le comte Alvar Giron, son ami. Mais mon père
1170 Prit pour l'aller chercher six cents hommes de guerre ;
Il fit tailler en pierre un comte Alvar Giron
Qu'à sa suite il traîna, jurant par son patron
De ne point reculer que le comte de pierre
Ne tournât front lui-même et n'allât en arrière.
Il combattit, puis vint au comte et le sauva.

DON CARLOS
Mon prisonnier !

DON RUY GOMEZ

C'était un Gomez de Silva !
Voilà donc ce qu'on dit quand dans cette demeure
On voit tous ces héros.

DON CARLOS

Mon prisonnier sur l'heure !

DON RUY GOMEZ

*Il s'incline profondément devant le roi, lui prend la
main et le mène devant le dernier portrait, celui qui
sert de porte à la cachette où il a fait entrer Hernani.
Doña Sol le suit des yeux avec anxiété. — Attente et
silence dans l'assistance.*

Ce portrait, c'est le mien. — Roi don Carlos, merci ! —
1180 Car vous voulez qu'on dise en le voyant ici :
« Ce dernier, digne fils d'une race si haute
Fut un traître et vendit la tête de son hôte[1] ! »

*Joie de doña Sol. Mouvement de stupeur dans les
assistants. — Le roi, déconcerté, s'éloigne avec colère,
puis reste quelques instants silencieux, les lèvres trem-
blantes et l'œil enflammé.*

DON CARLOS

Duc, ton château me gêne et je le mettrai bas !

DON RUY GOMEZ

Car vous me la paieriez, Altesse, n'est-ce pas ?

DON CARLOS

Duc, j'en ferai raser les tours pour tant d'audace
Et je ferai semer du chanvre sur la place !

DON RUY GOMEZ

Mieux voir croître du chanvre où ma tour s'éleva
Qu'une tache ronger le vieux nom de Silva.

Aux portraits.

N'est-il pas vrai, vous tous ?

DON CARLOS

Duc, cette tête est nôtre,
1190 Et tu m'avais promis...

DON RUY GOMEZ

J'ai promis l'une ou l'autre.

Aux portraits.

N'est-il pas vrai, vous tous ?

Montrant sa tête.

Je donne celle-ci.

Au roi.

Prenez-la.

DON CARLOS

Duc, fort bien. Mais j'y perds, grand merci !
La tête qu'il me faut est jeune, il faut que morte
On la prenne aux cheveux. La tienne ? que m'importe !
Le bourreau la prendrait par les cheveux en vain.
Tu n'en as pas assez pour lui remplir la main !

DON RUY GOMEZ

Altesse, pas d'affront ! Ma tête encore est belle,
Et vaut bien, que je crois, la tête d'un rebelle.
La tête d'un Silva, vous êtes dégoûté[1] !

DON CARLOS
1200 Livre-nous Hernani !

DON RUY GOMEZ

Seigneur, en vérité,
J'ai dit.

DON CARLOS, *à sa suite.*

Fouillez partout ! et qu'il ne soit point d'aile,
De cave, ni de tour...

DON RUY GOMEZ

                    Mon donjon est fidèle
Comme moi. Seul il sait le secret avec moi.
Nous le garderons bien tous deux !

DON CARLOS

                         Je suis le roi !

DON RUY GOMEZ

Hors que de mon château, démoli pierre à pierre,
On ne fasse ma tombe, on n'aura rien.

DON CARLOS

                              Prière,
Menace, tout est vain ! — Livre-moi le bandit,
Duc, ou, tête et château, j'abattrai tout !

DON RUY GOMEZ

                              J'ai dit.

DON CARLOS

Eh bien donc ! au lieu d'une alors j'aurai deux têtes.

    Au duc d'Alcala.

1210 Jorge ! arrêtez le duc !

DOÑA SOL, *arrachant son voile et se jetant entre le roi, le
    duc et les gardes.*

                    Roi don Carlos, vous êtes
Un mauvais roi !

DON CARLOS

              Grand Dieu ! que vois-je ? Doña Sol !

DOÑA SOL

Altesse, tu n'as pas le cœur d'un Espagnol !

DON CARLOS, *troublé.*

Madame, pour le roi vous êtes bien sévère.

    Il s'approche de doña Sol.
    Bas.

C'est vous qui m'avez mis au cœur cette colère !
Un homme devient ange ou monstre en vous touchant.
Ah ! quand on est haï, que vite on est méchant !
Si vous aviez voulu, peut-être, ô jeune fille,
J'étais grand, j'eusse été le lion de Castille ;
Vous m'en faites le tigre avec votre courroux.
1220 Le voilà qui rugit, Madame, taisez-vous !

> *Doña Sol lui jette un regard. Il s'incline.*

Pourtant, j'obéirai.

> *Se tournant vers le duc.*

                Mon cousin, je t'estime.
Ton scrupule après tout peut sembler légitime.
Sois fidèle à ton hôte, infidèle à ton roi,
C'est bien. — Je te fais grâce et suis meilleur que toi.
J'emmène seulement ta nièce comme otage.

DON RUY GOMEZ
Seulement !

DOÑA SOL, *interdite.*
          Moi, seigneur !

DON CARLOS
              Oui, vous !

DON RUY GOMEZ
                    Pas davantage !
Oh ! la grande clémence ! ô généreux vainqueur
Qui ménage la tête et torture le cœur !
Belle grâce !

DON CARLOS
          Choisis. — Doña Sol ou le traître.
1230 Il me faut l'un des deux.

DON RUY GOMEZ
               Oh ! vous êtes le maître !

Don Carlos s'approche de doña Sol pour l'emmener.
Elle se réfugie vers don Ruy Gomez.

DOÑA SOL

Sauvez-moi, monseigneur !...

Elle s'arrête. — A part.

Malheureuse ! il le faut !
La tête de mon oncle ou l'autre !... — Moi plutôt !

Au roi.

Je vous suis !

DON CARLOS, *à part.*

Par les saints, l'idée est triomphante !
Il faudra bien enfin s'adoucir, mon infante !

Doña Sol va d'un pas grave et assuré au coffret qui
renferme l'écrin, l'ouvre et y prend le poignard, qu'elle
cache dans son sein. Don Carlos vient à elle et lui
présente la main.

DON CARLOS, *à doña Sol.*

Qu'emportez-vous là ?

DOÑA SOL

Rien.

DON CARLOS

Un joyau précieux ?

DOÑA SOL

Oui.

DON CARLOS, *souriant.*

Voyons.

DOÑA SOL

Vous verrez.

Elle lui donne la main et se dispose à le suivre. — Don
Ruy Gomez, qui est resté immobile et profondément

absorbé dans sa pensée, se retourne et fait quelques pas en criant.

DON RUY GOMEZ

Doña Sol ! terre et cieux !

Doña Sol ! — Puisque l'homme ici n'a point d'entrailles,
A mon aide, croulez, armures et murailles !

Il court au roi.

Laisse-moi mon enfant ! je n'ai qu'elle, ô mon roi !

DON CARLOS, *lâchant la main de doña Sol.*
1240 Alors, mon prisonnier !

Le duc baisse la tête et semble en proie à une horrible hésitation ; puis il se relève et regarde les portraits en joignant les mains vers eux.

DON RUY GOMEZ

Ayez pitié de moi,

Vous tous ! —

Il fait un pas vers la cachette ; doña Sol le suit des yeux avec anxiété. Il se retourne vers les portraits.

Oh ! voilez-vous ! votre regard m'arrête !

Il s'avance en chancelant jusqu'à son portrait, puis se retourne encore vers le roi.

Tu le veux ?

DON CARLOS

Oui.

Le duc lève en tremblant la main vers le ressort.

DOÑA SOL

Dieu !

DON RUY GOMEZ

Non !

Il se jette aux genoux du roi.

> Par pitié, prends ma tête !

DON CARLOS
  Ta nièce !

DON RUY GOMEZ, *se relevant.*
    Prends-la donc ! et laisse-moi l'honneur !

DON CARLOS, *saisissant la main de doña Sol tremblante.*
  Adieu, duc.

DON RUY GOMEZ
    Au revoir. —

Il suit de l'œil le roi, qui se retire lentement avec doña Sol, puis il met la main sur son poignard.

> Dieu vous garde, seigneur !

Il revient sur le devant du théâtre, haletant, immobile, sans plus rien voir ni entendre, l'œil fixe, les bras croisés sur sa poitrine, qui les soulève comme par des mouvements convulsifs. Cependant, le roi sort avec doña Sol, et toute la suite de seigneurs sort après lui, deux à deux, gravement et chacun à son rang. Ils se parlent à voix basse entre eux.

DON RUY GOMEZ, *à part.*
  Roi, pendant que tu sors joyeux de ma demeure,
  Ma vieille loyauté sort de mon cœur qui pleure !

Il lève les yeux, les promène autour de lui, et voit qu'il est seul. Il court à la muraille, détache deux épées d'une panoplie, les mesure toutes deux, puis les dépose sur une table. Cela fait, il va au portrait, pousse le ressort, la porte cachée se rouvre.

Scène 7

DON RUY GOMEZ, HERNANI

DON RUY GOMEZ
  Sors.

> *Hernani paraît à la porte de la cachette. Don Ruy lui*
> *montre les deux épées sur la table.*

  — Choisis. — Don Carlos est hors de la maison.
  Il s'agit maintenant de me rendre raison.
  Choisis ! et faisons vite. — Allons donc ! ta main
  [tremble !

HERNANI
1250 Un duel ! nous ne pouvons, vieillard, combattre
  [ensemble !

DON RUY GOMEZ
  Pourquoi donc ? As-tu peur ? n'es-tu point noble ?
  [enfer !
  Noble ou non ! pour croiser le fer avec le fer,
  Tout homme qui m'outrage est assez gentilhomme !

HERNANI
  Vieillard...

DON RUY GOMEZ
  Viens me tuer ou viens mourir, jeune homme !

HERNANI
  Mourir, oui. — Vous m'avez sauvé malgré mes vœux.
  Donc ma vie est à vous. Reprenez-la.

DON RUY GOMEZ
  Tu veux ?

Aux portraits.

Vous voyez qu'il le veut.

A Hernani.

C'est bon. Fais ta prière.

HERNANI

Oh ! c'est à toi, seigneur, que je fais la dernière !

DON RUY GOMEZ

Parle à l'autre Seigneur !

HERNANI

Non, non, à toi ! — Vieillard,
1260 Frappe-moi. Tout m'est bon, dague, épée ou poignard !
Mais fais-moi, par pitié, cette suprême joie !
Duc ! avant de mourir, permets que je la voie !

DON RUY GOMEZ

La voir !

HERNANI

Au moins permets que j'entende sa voix
Une dernière fois ! rien qu'une seule fois !

DON RUY GOMEZ

L'entendre !

HERNANI

Oh ! je comprends, seigneur, ta jalousie.
Mais déjà par la mort ma jeunesse est saisie,
Pardonne-moi. Veux-tu, dis-moi, que, sans la voir,
S'il le faut, je l'entende ? Et je mourrai ce soir.
L'entendre seulement ! Contente mon envie !
1270 Mais, oh ! qu'avec douceur j'exhalerais ma vie
Si tu daignais vouloir qu'avant de fuir aux cieux
Mon âme allât revoir la sienne dans ses yeux !
— Je ne lui dirai rien, tu seras là, mon père !
Tu me prendras après !

DON RUY GOMEZ, *montrant la cachette encore ouverte.*
                              Saints du ciel ! ce repaire
  Est-il donc si profond, si sourd et si perdu,
  Qu'il n'ait entendu rien ?

HERNANI
                              Je n'ai rien entendu.

DON RUY GOMEZ
  Il a fallu livrer doña Sol ou toi-même.

HERNANI
  A qui, livrée ?

DON RUY GOMEZ
              Au roi.

HERNANI
                      Vieillard stupide ! il l'aime !

DON RUY GOMEZ
  Il l'aime !

HERNANI
              Il nous l'enlève ! il est notre rival !

DON RUY GOMEZ
1280 Ô malédiction ! — Mes vassaux ! à cheval !
  A cheval ! poursuivons le ravisseur !

HERNANI
                                      Écoute,
  La vengeance au pied sûr fait moins de bruit en route.
  Je t'appartiens. Tu peux me tuer. Mais veux-tu
  M'employer à venger ta nièce et sa vertu ?
  Ma part dans ta vengeance ! oh ! fais-moi cette grâce !
  Et s'il faut embrasser tes pieds, je les embrasse !
  Suivons le roi tous deux. Viens ; je serai ton bras,
  Je te vengerai, duc. — Après, tu me tueras.

DON RUY GOMEZ
Alors, comme aujourd'hui, te laisseras-tu faire ?

HERNANI
1290 Oui, duc.

DON RUY GOMEZ
Qu'en jures-tu ?

HERNANI
La tête de mon père.

DON RUY GOMEZ
Voudras-tu de toi-même un jour t'en souvenir ?

HERNANI, *lui présentant le cor qu'il ôte de sa ceinture.*
Écoute, prends ce cor. Quoi qu'il puisse advenir,
Quand tu voudras, seigneur, quel que soit le lieu,
[l'heure,
S'il te passe à l'esprit qu'il est temps que je meure,
Viens, sonne de ce cor, et ne prends d'autres soins ;
Tout sera fait.

DON RUY GOMEZ, *lui tendant la main.*
Ta main ?

Ils se serrent la main. — Aux portraits.

Vous tous, soyez témoins.

Acte IV

LE TOMBEAU

AIX-LA-CHAPELLE

Les caveaux qui renferment le tombeau de Charlemagne, à Aix-la-Chapelle[1]. De grandes voûtes d'architecture lombarde. Gros piliers bas, pleins cintres, chapiteaux d'oiseaux et de fleurs. — A droite, le tombeau de Charlemagne avec une petite porte de bronze, basse et cintrée. Une seule lampe suspendue à une clef de voûte en éclaire l'inscription : KAROLUS MAGNUS. — Il est nuit. On ne voit pas le fond du souterrain ; l'œil se perd dans les arcades, les escaliers et les piliers qui s'entrecroisent dans l'ombre.

Scène 1

DON CARLOS, DON RICARDO DE ROXAS, *comte de Casapalma, une lanterne à la main. Grands manteaux, chapeaux rabattus.*

DON RICARDO, *son chapeau à la main.*
C'est ici.

DON CARLOS

C'est ici que la ligue[1] s'assemble !

    Que je vais dans ma main les tenir tous ensemble !

    — Ha ! monsieur l'électeur de Trèves, c'est ici !

1300 Vous leur prêtez ce lieu ! Certe, il est bien choisi !

Un noir complot prospère à l'air des catacombes.

Il est bon d'aiguiser les stylets sur des tombes.

Pourtant c'est jouer gros. La tête est de l'enjeu,

Messieurs les assassins ! et nous verrons. — Pardieu !

Ils font bien de choisir pour une telle affaire

Un sépulcre ; — ils auront moins de chemin à faire.

    A don Ricardo.

Ces caveaux sous le sol s'étendent-ils bien loin ?

DON RICARDO

    Jusques au château fort.

DON CARLOS

                      C'est plus qu'il n'est besoin.

DON RICARDO

    D'autres, de ce côté, vont jusqu'au monastère

1310 D'Altenheim...

DON CARLOS

            Où Rodolphe extermina Lothaire.

Bien. — Une fois encor, comte, redites-moi

Les noms et les griefs, où, comment et pourquoi.

DON RICARDO

    Gotha.

DON CARLOS

        Je sais pourquoi le brave duc conspire.

Il veut un Allemand d'Allemagne à l'Empire.

DON RICARDO

    Hohenbourg.

DON CARLOS

          Hohenbourg aimerait mieux, je crois,
L'enfer avec François[1] que le ciel avec moi.

DON RICARDO

    Don Gil Tellez Giron.

DON CARLOS

          Castille et Notre-Dame !
Il se révolte donc contre son roi, l'infâme !

DON RICARDO

    On dit qu'il vous trouva chez madame Giron
1320 Un soir que vous veniez de le faire baron.
    Il veut venger l'honneur de sa tendre compagne.

DON CARLOS

    C'est donc qu'il se révolte alors contre l'Espagne.
    Qui nomme-t-on encore ?

DON RICARDO

          On cite avec ceux-là
Le révérend Vasquez, évêque d'Avila.

DON CARLOS

    Est-ce aussi pour venger la vertu de sa femme ?

DON RICARDO

    Puis Guzman de Lara, mécontent, qui réclame
Le collier de votre ordre.

DON CARLOS

          Ah ! Guzman de Lara !
Si ce n'est qu'un collier qu'il lui faut, il l'aura.

DON RICARDO

    Le duc de Lutzelbourg. Quant aux plans qu'on lui
                            [prête...

DON CARLOS

1330 Le duc de Lutzelbourg est trop grand de la tête.

DON RICARDO
Juan de Haro, qui veut Astorga.

DON CARLOS

Ces Haro
Ont toujours fait doubler la solde du bourreau[1].

DON RICARDO
C'est tout.

DON CARLOS

Ce ne sont pas toutes mes têtes. Comte,
Cela ne fait que sept et je n'ai pas mon compte.

DON RICARDO
Ah ! je ne nomme pas quelques bandits gagés
Par Trève ou par la France...

DON CARLOS

Hommes sans préjugés
Dont le poignard, toujours prêt à jouer son rôle,
Tourne aux plus gros écus, comme l'aiguille au pôle !

DON RICARDO
Pourtant j'ai distingué deux hardis compagnons,
1340 Tous deux nouveaux venus, un jeune, un vieux...

DON CARLOS

Leurs noms ?

Don Ricardo lève les épaules en signe d'ignorance.

Leur âge ?

DON RICARDO
Le plus jeune a vingt ans.

DON CARLOS

C'est dommage.

DON RICARDO
Le vieux, soixante au moins.

DON CARLOS

L'un n'a pas encor l'âge

Et l'autre ne l'a plus. Tant pis. J'en prendrai soin.
Le bourreau peut compter sur mon aide au besoin.
Ah ! loin que mon épée aux factions soit douce,
Je la lui prêterai si sa hache s'émousse,
Comte ! et pour l'élargir, je coudrai, s'il le faut,
Ma pourpre impériale au drap de l'échafaud.
— Mais serai-je empereur seulement ? —

DON RICARDO

Le collège[1],

1350 A cette heure assemblé, délibère.

DON CARLOS

Que sais-je ?

Ils nommeront François Premier, ou leur Saxon,
Leur Frédéric le Sage !... Oh ! Luther a raison,
Tout va mal ! — Beaux faiseurs de majestés sacrées !
N'acceptant pour raisons que les raisons dorées !
Un Saxon hérétique ! un comte palatin
Imbécile ! un primat de Trèves libertin !
Quant au roi de Bohême, il est pour moi. — Des
[princes
De Hesse, plus petits encor que leurs provinces !
De jeunes idiots ! des vieillards débauchés !
1360 Des couronnes, fort bien ! mais des têtes ?... cherchez !
Des nains ! que je pourrais, concile ridicule,
Dans ma peau de lion emporter comme Hercule !
Et qui, démaillotés du manteau violet,
Auraient la tête encor de moins que Triboulet[2] !
— Il me manque trois voix, Ricardo ! tout me manque ! —
Oh ! je donnerais Gand, Tolède et Salamanque,
Mon ami Ricardo, trois villes à leur choix,
Pour trois voix, s'ils voulaient ! Vois-tu, pour ces trois
[voix,

Oui, trois de mes cités de Castille ou de Flandre,
1370 Je les donnerais ! — sauf, plus tard, à les reprendre !

> *Don Ricardo salue profondément le roi, et met son chapeau sur sa tête.*

— Vous vous couvrez ?

DON RICARDO

Seigneur, vous m'avez tutoyé [1],

> *Saluant de nouveau.*

Me voilà grand d'Espagne.

DON CARLOS, *à part.*

Ah ! tu me fais pitié !
Ambitieux de rien ! — Engeance intéressée !
Comme à travers la nôtre ils suivent leur pensée !
Basse-cour où le roi, mendié sans pudeur,
A tous ces affamés émiette la grandeur [2] !

> *Rêvant.*

Dieu seul et l'empereur sont grands ! — et le Saint-
Le reste !... rois et ducs ! qu'est cela ?   [Père !

DON RICARDO

Moi, j'espère
Qu'ils prendront Votre Altesse.

DON CARLOS, *à part.*

Altesse ! Altesse, moi !
1380 J'ai du malheur en tout. — S'il fallait rester roi !

DON RICARDO, *à part.*
Baste ! empereur ou non, me voilà grand d'Espagne.

DON CARLOS
Sitôt qu'ils auront fait l'empereur d'Allemagne,
Quel signal à la ville annoncera son nom ?

DON RICARDO

Si c'est le duc de Saxe, un seul coup de canon.
Deux si c'est le Français, trois si c'est Votre Altesse.

DON CARLOS

Et cette doña Sol !... Tout m'irrite et me blesse !
Comte, si je suis fait empereur, par hasard,
Cours la chercher. — Peut-être on voudra d'un
                                        [César[1] !...

DON RICARDO, *souriant.*

Votre Altesse est bien bonne !

DON CARLOS, *l'interrompant avec hauteur.*

                              Ha ! là-dessus, silence !
1390 Je n'ai point dit encor ce que je veux qu'on pense.
Quand saura-t-on le nom de l'élu ?

DON RICARDO

                                    Mais, je crois,
Dans une heure, au plus tard.

DON CARLOS

                              Oh ! trois voix ! rien que trois !
— Mais écrasons d'abord ce ramas qui conspire,
Et nous verrons après à qui sera l'empire.

Il compte sur ses doigts et frappe du pied.

Toujours trois voix de moins ! — Ah ! ce sont eux qui
                                        [l'ont !
— Ce Corneille Agrippa pourtant en sait bien long !
Dans l'océan céleste il a vu treize étoiles
Vers la mienne, du nord, venir à pleines voiles. —
J'aurai l'empire ! allons. — Mais d'autre part on dit
1400 Que l'abbé Jean Tritème[2] à François l'a prédit.
— J'aurais dû, pour mieux voir ma fortune éclaircie,
Avec quelque armement aider la prophétie !
Toutes prédictions du sorcier le plus fin

Viennent bien mieux à terme et font meilleure fin
Quand une bonne armée, avec canons et piques,
Gens de pied, de cheval, fanfares et musiques,
Prête à montrer la route au sort qui veut broncher,
Leur sert de sage-femme et les fait accoucher.
Lequel vaut mieux, Corneille Agrippa ? Jean Tritême ?
1410 Celui dont une armée explique le système,
Qui met un fer de lance au bout de ce qu'il dit,
Et compte maint soudard, lansquenet ou bandit
Dont l'estoc, refaisant la fortune imparfaite,
Taille l'événement au plaisir du prophète.
— Pauvres fous ! qui, l'œil fier, le front haut, visent droit
A l'empire du monde et disent : J'ai mon droit !
Ils ont force canons, rangés en longues files,
Dont le souffle embrasé ferait fondre des villes ;
Ils ont vaisseaux, soldats, chevaux, et vous croyez
1420 Qu'ils vont marcher au but sur les peuples broyés...
Baste ! au grand carrefour de la fortune humaine
Qui mieux encor qu'au trône à l'abîme nous mène,
A peine ils font trois pas, qu'indécis, incertains,
Tâchant en vain de lire au livre des destins,
Ils hésitent, peu sûrs d'eux-même, et dans le doute
Au nécroman[1] du coin vont demander leur route !

    A don Ricardo.

— Va-t'en. C'est l'heure où vont venir les conjurés.
Ah ! la clef du tombeau !

DON RICARDO, *remettant une clef au roi.*
               Seigneur, vous songerez
Au comte de Limbourg, gardien capitulaire[2],
1430 Qui me l'a confiée et fait tout pour vous plaire.

*Dominique Rozan, Geneviève Casile et François Beaulieu.
Mise en scène de Robert Hossein (Comédie-Française, 1974.)*

DON CARLOS, *le congédiant.*
Fais tout ce que j'ai dit ! tout !

DON RICARDO, *s'inclinant.*

                      J'y vais de ce pas,
Altesse !

DON CARLOS
        Il faut trois coups de canon, n'est-ce pas ?

Don Ricardo s'incline et sort.
Don Carlos, resté seul, tombe dans une profonde rêve-
rie. Ses bras se croisent, sa tête fléchit sur sa poitrine ;
puis il la relève et se tourne vers le tombeau.

Scène 2

DON CARLOS, *seul*[1]

Charlemagne, pardon ! — Ces voûtes solitaires
Ne devraient répéter que paroles austères ;
Tu t'indignes sans doute à ce bourdonnement
Que nos ambitions font sur ton monument.
— Charlemagne est ici ! — Comment, sépulcre sombre,
Peux-tu sans éclater contenir si grande ombre ?
Es-tu bien là, géant d'un monde créateur,
1440 Et t'y peux-tu coucher de toute ta hauteur ? —
Ah ! c'est un beau spectacle à ravir la pensée
Que l'Europe ainsi faite et comme il l'a laissée !
Un édifice, avec deux hommes au sommet,
Deux chefs élus auxquels tout roi né[2] se soumet.
Presque tous les États, duchés, fiefs militaires,
Royaumes, marquisats, tous sont héréditaires ;
Mais le peuple a parfois son pape ou son césar,

Tout marche, et le hasard corrige le hasard.
De là vient l'équilibre, et toujours l'ordre éclate.
1450 Électeurs de drap d'or, cardinaux d'écarlate,
Double sénat sacré dont la terre s'émeut,
Ne sont là qu'en parade, et Dieu veut ce qu'il veut.
Qu'une idée, au besoin des temps, un jour éclose,
Elle grandit, va, court, se mêle à toute chose,
Se fait homme, saisit les cœurs, creuse un sillon ;
Maint roi la foule aux pieds ou lui met un bâillon ;
Mais qu'elle entre un matin à la diète, au conclave[1],
Et tous les rois soudain verront l'idée esclave
Sur leurs têtes de rois que ses pieds courberont
1460 Surgir, le globe en main ou la tiare au front.
Le pape et l'empereur sont tout. Rien n'est sur terre
Que pour eux et par eux. Un suprême mystère
Vit en eux ; et le ciel, dont ils ont tous les droits,
Leur fait un grand festin des peuples et des rois,
Et les tient sous sa nue, où son tonnerre gronde,
Seuls, assis à la table où Dieu leur sert le monde.
Tête à tête ils sont là, réglant et retranchant,
Arrangeant l'univers comme un faucheur son champ.
Tout se passe entre eux deux. Les rois sont à la porte,
1470 Respirant la vapeur des mets que l'on apporte,
Regardant à la vitre, attentifs, ennuyés,
Et se haussant pour voir sur la pointe des pieds.
Le monde au-dessous d'eux s'échelonne et se groupe.
Ils font et défont. L'un délie et l'autre coupe[2].
L'un est la vérité, l'autre est la force. Ils ont
Leur raison en eux-même, et sont parce qu'ils sont.
Quand ils sortent, tous deux égaux, du sanctuaire,
L'un dans sa pourpre, et l'autre avec son blanc suaire[3],
L'univers ébloui contemple avec terreur
1480 Ces deux moitiés de Dieu, le pape et l'empereur.
    — L'empereur ! l'empereur ! être empereur ! — Ô rage,
Ne pas l'être ! — et sentir son cœur plein de courage !

Qu'il fut heureux celui qui dort dans ce tombeau !
Qu'il fut grand ! — De son temps c'était encor plus beau.
Le pape et l'empereur ! ce n'était plus deux hommes.
Pierre et César ! en eux accouplant les deux Romes,
Fécondant l'une et l'autre en un mystique hymen,
Redonnant une forme, une âme au genre humain,
Faisant refondre en bloc peuples et pêle-mêle
1490 Royaumes, pour en faire une Europe nouvelle,
Et tous deux remettant au moule de leur main
Le bronze qui restait du vieux monde romain !
Oh ! quel destin ! — Pourtant cette tombe est la sienne !
Tout est-il donc si peu que ce soit là qu'on vienne ?
Quoi donc ! avoir été prince, empereur et roi !
Avoir été l'épée ! avoir été la loi !
Géant, pour piédestal avoir eu l'Allemagne !
Quoi ! pour titre César et pour nom Charlemagne !
Avoir été plus grand qu'Annibal, qu'Attila,
1500 Aussi grand que le monde !... — et que tout tienne là !
Ha ! briguez donc l'empire, et voyez la poussière
Que fait un empereur ! couvrez la terre entière
De bruit et de tumulte. Élevez, bâtissez
Votre empire, et jamais ne dites : C'est assez !
Taillez à larges pans un édifice immense !
Savez-vous ce qu'un jour il en reste ? — ô démence !
Cette pierre ! — et du titre et du nom triomphants ? —
Quelques lettres, à faire épeler des enfants !
Si haut que soit le but où votre orgueil aspire,
1510 Voilà le dernier terme !... Oh ! l'empire ! l'empire !
Que m'importe ! j'y touche, et le trouve à mon gré.
Quelque chose me dit : Tu l'auras ! — Je l'aurai. —
Si je l'avais !... — Ô ciel ! être ce qui commence !
Seul, debout, au plus haut de la spirale immense !
D'une foule d'États l'un sur l'autre étagés
Être la clef de voûte, et voir sous soi rangés
Les rois, et sur leur tête essuyer ses sandales ;

Voir au-dessous des rois les maisons féodales,
Margraves, cardinaux, doges, ducs à fleurons[1] ;
1520 Puis évêques, abbés, chefs de clans, hauts barons ;
Puis clercs et soldats ; puis, loin du faîte où nous
                                              [sommes,
Dans l'ombre, tout au fond de l'abîme, — les hommes.
— Les hommes ! — c'est-à-dire une foule, une mer,
Un grand bruit ; pleurs et cris, parfois un rire amer,
Plainte qui, réveillant la terre qui s'effare,
A travers tant d'échos, nous arrive fanfare !
Les hommes ! — des cités, des tours, un vaste essaim, —
De hauts clochers d'église à sonner le tocsin ! —

    Rêvant.

Base de nations portant sur leurs épaules
1530 La pyramide énorme appuyée aux deux pôles,
Flots vivants, qui toujours l'étreignant de leurs plis,
La balancent, branlante, à leur vaste roulis,
Font tout changer de place et, sur ses hautes zones,
Comme des escabeaux font chanceler les trônes,
Si bien que tous les rois, cessant leurs vains débats,
Lèvent les yeux au ciel... — Rois ! regardez en bas !
— Ah ! le peuple ! — océan ! — onde sans cesse émue !
Où l'on ne jette rien sans que tout ne remue !
Vague qui broie un trône et qui berce un tombeau !
1540 Miroir où rarement un roi se voit en beau !
Ah ! si l'on regardait parfois dans ce flot sombre,
On y verrait au fond des empires sans nombre,
Grands vaisseaux naufragés, que son flux et reflux
Roule, et qui le gênaient, et qu'il ne connaît plus !
— Gouverner tout cela ! — Monter, si l'on vous nomme,
A ce faîte ! — Y monter, sachant qu'on n'est qu'un
                                              [homme !
— Avoir l'abîme là !... — Pourvu qu'en ce moment
Il n'aille pas me prendre un éblouissement !

Oh ! d'États et de rois mouvante pyramide,
1550 Ton faîte est bien étroit ! — Malheur au pied timide !
A qui me retiendrai-je ?... — Oh ! si j'allais faillir
En sentant sous mes pieds le monde tressaillir !
En sentant vivre, sourdre et palpiter la terre !
— Puis, quand j'aurai ce globe entre mes mains, qu'en
[faire ?
Le pourrai-je porter seulement ? Qu'ai-je en moi ?
Être empereur ! mon Dieu ! j'avais trop d'être roi !
Certe, il n'est qu'un mortel de race peu commune
Dont puisse s'élargir l'âme avec la fortune.
Mais moi ! qui me fera grand ? qui sera ma loi ?
1560 Qui me conseillera ?... —

Il tombe à deux genoux devant le tombeau.

      Charlemagne ! c'est toi[1] !
Oh ! puisque Dieu, pour qui tout obstacle s'efface,
Prend nos deux majestés et les met face à face,
Verse-moi dans le cœur, du fond de ce tombeau,
Quelque chose de grand, de sublime et de beau !
Oh ! par tous ses côtés fais-moi voir toute chose !
Montre-moi que le monde est petit, car je n'ose
Y toucher. Montre-moi que sur cette Babel[2]
Qui du pâtre à César va montant jusqu'au ciel,
Chacun en son degré se complaît et s'admire,
1570 Voit l'autre par-dessous et se retient d'en rire.
Apprends-moi tes secrets de vaincre et de régner,
Et dis-moi qu'il vaut mieux punir que pardonner !
— N'est-ce pas ? — S'il est vrai qu'en son lit solitaire
Parfois une grande ombre, au bruit que fait la terre,
S'éveille, et que soudain son tombeau large et clair
S'entrouvre, et dans la nuit jette au monde un éclair ;
Si cette chose est vraie, empereur d'Allemagne,
Oh ! dis-moi ce qu'on peut faire après Charlemagne !
Parle ! dût en parlant ton souffle souverain

1580 Me briser sur le front cette porte d'airain !
Ou plutôt, laisse-moi seul dans ton sanctuaire
Entrer ; laisse-moi voir ta face mortuaire ;
Ne me repousse pas d'un souffle d'aquilons[1] ;
Sur ton chevet de pierre accoude-toi. Parlons.
Oui, dusses-tu me dire, avec ta voix fatale,
De ces choses qui font l'œil sombre et le front pâle,
Parle, et n'aveugle pas ton fils épouvanté,
Car ta tombe sans doute est pleine de clarté !
Ou, si tu ne dis rien, laisse en ta paix profonde
1590 Carlos étudier ta tête comme un monde ;
Laisse, qu'il te mesure à loisir, ô géant ;
Car rien n'est ici-bas si grand que ton néant !
Que la cendre, à défaut de l'ombre, me conseille !

Il approche la clef de la serrure.

Entrons !

Il recule.

Dieu ! S'il allait me parler à l'oreille !
S'il était là, debout et marchant à pas lents !
Si j'allais ressortir avec des cheveux blancs !
Entrons toujours ! —

Bruit de pas.

On vient ! — Qui donc ose à cette heure,
Hors moi, d'un pareil mort éveiller la demeure ?
Qui donc ?

Le bruit s'approche.

Ah ! j'oubliais ! ce sont mes assassins !
1600 Entrons !

*Il ouvre la porte du tombeau qu'il referme sur lui. —
Entrent plusieurs hommes marchant à pas sourds,
cachés sous leurs manteaux et leurs chapeaux.*

Scène 3

LES CONJURÉS

Ils vont les uns aux autres en se prenant la main et en échangeant quelques paroles à voix basse.

PREMIER CONJURÉ, *portant seul une torche allumée.*
     Ad augusta.

DEUXIÈME CONJURÉ
            Per angusta[1].

PREMIER CONJURÉ
                      Les saints
Nous protègent.

TROISIÈME CONJURÉ
          Les morts nous servent.

PREMIER CONJURÉ
                            Dieu nous garde.

Bruit de pas dans l'ombre.

DEUXIÈME CONJURÉ
Qui vive ?

VOIX DANS L'OMBRE
         Ad augusta.

DEUXIÈME CONJURÉ
            Per angusta.

Entrent de nouveaux conjurés. — Bruit de pas.

PREMIER CONJURÉ, *au troisième.*
                  Regarde.
Il vient encor quelqu'un.

TROISIÈME CONJURÉ
                    Qui vive?

VOIX DANS L'OMBRE
                                        Ad augusta.

TROISIÈME CONJURÉ
    Per angusta.

    *Entrent de nouveaux conjurés, qui échangent des
    signes de main avec tous les autres.*

PREMIER CONJURÉ
                C'est bien. Nous voilà tous. — Gotha,
    Fais le rapport. — Amis, l'ombre attend la lumière.

    *Tous les conjurés s'asseyent en demi-cercle sur des
    tombeaux. Le premier conjuré passe tour à tour devant
    tous, et chacun allume à sa torche une cire qu'il tient à
    la main. Puis le premier conjuré va s'asseoir en silence
    sur une tombe, au centre du cercle et plus haute que les
    autres.*

LE DUC DE GOTHA, *se levant.*
    Amis, Charles d'Espagne, étranger par sa mère,
    Prétend au saint-empire.

PREMIER CONJURÉ
                        Il aura le tombeau.

LE DUC DE GOTHA

    Il jette sa torche à terre et l'écrase du pied.

    Qu'il en soit de son front comme de ce flambeau!

TOUS
    Que ce soit!

PREMIER CONJURÉ
                    Mort à lui!

LE DUC DE GOTHA

Qu'il meure !

TOUS

Qu'on l'immole !

DON JUAN DE HARO
1610 Son père est Allemand.

LE DUC DE LUTZELBOURG

Sa mère est Espagnole.

LE DUC DE GOTHA
Il n'est plus Espagnol et n'est pas Allemand.
Mort !

UN CONJURÉ

Si les électeurs allaient en ce moment
Le nommer empereur ?

PREMIER CONJURÉ

Eux ! lui ! jamais !

DON GIL TELLEZ GIRON

Qu'importe !
Amis ! frappons la tête et la couronne est morte !

PREMIER CONJURÉ
S'il a le saint-empire, il devient, quel qu'il soit,
Très auguste, et Dieu seul peut le toucher du doigt !

LE DUC DE GOTHA
Le plus sûr, c'est qu'avant d'être auguste, il expire !

PREMIER CONJURÉ
On ne l'élira point !

TOUS

Il n'aura pas l'empire !

PREMIER CONJURÉ
Combien faut-il de bras pour le mettre au linceul ?

TOUS

1620 Un seul.

PREMIER CONJURÉ

      Combien faut-il de coups au cœur ?

TOUS

                                  Un seul.

PREMIER CONJURÉ

  Qui frappera ?

TOUS

           Nous tous !

PREMIER CONJURÉ

                 La victime est un traître.

Ils font un empereur. Nous, faisons un grand prêtre.

Tirons au sort.

   Tous les conjurés écrivent leur nom sur leurs tablettes,
   déchirent la feuille, la roulent, et vont l'un après l'autre
   la jeter dans l'urne d'un tombeau. — Puis le premier
   conjuré dit :

               — Prions.

   Tous s'agenouillent. Le premier conjuré se relève et
   dit :

                 Que l'élu croie en Dieu,

Frappe comme un Romain, meure comme un Hébreu[1] !

Il faut qu'il brave roue et tenailles mordantes,

Qu'il chante aux chevalets, rie aux lampes ardentes[2],

Enfin que, pour tuer et mourir résigné,

Il fasse tout !

   Il tire un des parchemins de l'urne.

TOUS

        Quel nom ?

PREMIER CONJURÉ, *à haute voix.*
                    Hernani.

HERNANI, *sortant de la foule des conjurés.*
                                J'ai gagné !
    Je te tiens, toi que j'ai si longtemps poursuivie,
1630 Vengeance !

DON RUY GOMEZ, *perçant la foule et prenant Hernani à
    part.*
                    Oh ! cède-moi ce coup !

HERNANI
                                Non, sur ma vie !
    Oh ! ne m'enviez pas ma fortune, seigneur !
    C'est la première fois qu'il m'arrive bonheur !

DON RUY GOMEZ
    Tu n'as rien. Eh bien, tout, fiefs, châteaux, vasselages,
    Cent mille paysans dans mes trois cents villages,
    Pour ce coup à frapper, je te les donne, ami !

HERNANI
    Non !

LE DUC DE GOTHA
        Ton bras porterait un coup moins affermi,
    Vieillard !

DON RUY GOMEZ
            Arrière ! vous ! sinon le bras, j'ai l'âme.
    Aux rouilles du fourreau ne jugez point la lame.

    A Hernani.

    — Tu m'appartiens !

HERNANI
                    Ma vie à vous, la sienne à moi.

DON RUY GOMEZ, *tirant le cor de sa ceinture.*
1640 Elle! je te la cède, et te rends ce cor.

HERNANI, *ébranlé.*
                                        Quoi?
    La vie et doña Sol! — Non! je tiens ma vengeance!
    Avec Dieu dans ceci je suis d'intelligence.
    J'ai mon père à venger!... peut-être plus encor!

DON RUY GOMEZ
    Elle! je te la donne[1], et je te rends ce cor!

HERNANI
    Non!

DON RUY GOMEZ
            Réfléchis, enfant!

HERNANI
                        Duc! laisse-moi ma proie!

DON RUY GOMEZ
    Eh bien! maudit sois-tu de m'ôter cette joie!

    Il remet le cor à sa ceinture.

PREMIER CONJURÉ, *à Hernani.*
    Frère! avant qu'on ait pu l'élire, il serait bien
    D'attendre dès ce soir Carlos...

HERNANI
                            Ne craignez rien!
    Je sais comment on pousse un homme dans la tombe.

PREMIER CONJURÉ
1650 Que toute trahison sur le traître retombe,
    Et Dieu soit avec vous! — Nous, comtes et barons,
    S'il périt sans tuer, continuons! — Jurons

De frapper tour à tour et sans nous y soustraire
Carlos qui doit mourir.

TOUS, *tirant leurs épées.*

Jurons !

LE DUC DE GOTHA, *au premier conjuré.*

Sur quoi, mon frère ?

DON RUY GOMEZ, *retourne son épée, la prend par la
pointe et l'élève au-dessus de sa tête.*
Jurons sur cette croix !

TOUS, *élevant leurs épées.*

Qu'il meure impénitent !

*On entend un coup de canon éloigné. Tous s'arrêtent
en silence. — La porte du tombeau s'entrouvre. Don
Carlos paraît sur le seuil, pâle ; il écoute. — Un second
coup. — Un troisième coup. — Il ouvre tout à fait la
porte du tombeau, mais sans faire un pas, debout et
immobile sur le seuil.*

Scène 4

LES CONJURÉS, DON CARLOS, *puis* DON RICARDO,
SEIGNEURS, GARDES, LE ROI DE BOHÊME,
LE DUC DE BAVIÈRE, *puis* DOÑA SOL

DON CARLOS
Messieurs, allez plus loin ! l'empereur vous entend.

*Tous les flambeaux s'éteignent à la fois. — Profond
silence. — Il fait un pas dans les ténèbres si épaisses
qu'on y distingue à peine les conjurés muets et immobiles.*

Silence et nuit ! l'essaim en sort et s'y replonge !
Croyez-vous que ceci va passer comme un songe,
Et que je vous prendrai, n'ayant plus vos flambeaux,
1660 Pour des hommes de pierre assis sur leurs tombeaux ?
Vous parliez tout à l'heure assez haut, mes statues !
Allons ! relevez donc vos têtes abattues,
Car voici Charles Quint ! Frappez ! faites un pas !
Voyons : oserez-vous ? — Non, vous n'oserez pas !
— Vos torches flamboyaient sanglantes sous ces voûtes.
Mon souffle a donc suffi pour les éteindre toutes !
Mais voyez, et tournez vos yeux irrésolus,
Si j'en éteins beaucoup, j'en allume encor plus !

*Il frappe de la clef de fer sur la porte de bronze du
tombeau. A ce bruit, toutes les profondeurs du souterrain se remplissent de soldats portant des torches et des
pertuisanes. A leur tête, le duc d'Alcala, le marquis
d'Almuñan, etc.*

— Accourez, mes faucons ! j'ai le nid, j'ai la proie !

Aux conjurés.

1670 — J'illumine à mon tour. Le sépulcre flamboie !
Regardez !

Aux soldats.

                Venez tous ! car le crime est flagrant !

HERNANI, *regardant les soldats.*
A la bonne heure ! seul, il me semblait trop grand.
C'est bien. — J'ai cru d'abord que c'était Charlemagne,
Ce n'est que Charles Quint !

DON CARLOS, *au duc d'Alcala.*
                        Connétable d'Espagne !

Au marquis d'Almuñan.

Amiral de Castille, ici ! — Désarmez-les.

> *On entoure les conjurés et on les désarme.*

DON RICARDO, *accourant et s'inclinant jusqu'à terre.*
Majesté !...

DON CARLOS
       Je te fais alcade du palais.

DON RICARDO, *s'inclinant de nouveau.*
Deux électeurs, au nom de la chambre dorée,
Viennent complimenter la Majesté sacrée !

DON CARLOS
Qu'ils entrent.

> *Bas à Ricardo.*

        Doña Sol !

> *Ricardo salue et sort. — Entrent, avec flambeaux et fanfares, le roi de Bohême et le duc de Bavière, tout en drap d'or, couronnes en tête. Nombreux cortège de seigneurs allemands, portant la bannière de l'empire, l'aigle à deux têtes, avec l'écusson d'Espagne au milieu. — Les soldats s'écartent, se rangent en haie, et font passage aux deux électeurs, jusqu'à l'empereur qu'ils saluent profondément, et qui leur rend leur salut en soulevant son chapeau.*

LE DUC DE BAVIÈRE
               Charles ! roi des Romains,
1680 Majesté très sacrée, empereur ! dans vos mains
Le monde est maintenant, car vous avez l'empire.
Il est à vous, ce trône où tout monarque aspire !
Frédéric, duc de Saxe, y fut d'abord élu,
Mais, vous jugeant plus digne, il n'en a pas voulu.
Venez donc recevoir la couronne et le globe[1].
Le Saint-Empire, ô roi, vous revêt de la robe.
Il vous arme du glaive, et vous êtes très grand.

DON CARLOS

J'irai remercier le collège en rentrant.
Allez, messieurs. — Merci, mon frère de Bohême,
1690 Mon cousin de Bavière, allez ! — J'irai moi-même.

LE ROI DE BOHÊME

Charles ! du nom d'amis nos aïeux se nommaient.
Mon père aimait ton père, et leurs pères s'aimaient.
Charles, si jeune en butte aux fortunes contraires,
Dis, veux-tu que je sois ton frère entre tes frères ?
Je t'ai vu tout enfant, et ne puis oublier...

DON CARLOS, *l'interrompant.*

Roi de Bohême ! eh bien ! vous êtes familier !

Il lui présente sa main à baiser, ainsi qu'au duc de Bavière, puis congédie les deux électeurs, qui le saluent profondément.

Allez !

Sortent les deux électeurs avec leur cortège.

LA FOULE

Vivat !

DON CARLOS, *à part.*

J'y suis ! — et tout m'a fait passage !
Empereur ! — au refus de Frédéric le Sage !

Entre doña Sol, conduite par don Ricardo.

DOÑA SOL

Des soldats ! l'empereur ! ô ciel ! coup imprévu !
1700 Hernani !

HERNANI

Doña Sol !

DON RUY GOMEZ, *à côté d'Hernani, à part.*

Elle ne m'a point vu !

Doña Sol court à Hernani. Il la fait reculer d'un regard de défiance.

HERNANI
    Madame !...

DOÑA SOL, *tirant le poignard de son sein.*
                    J'ai toujours son poignard !

HERNANI, *lui tendant les bras.*

                                        Mon amie !

DON CARLOS
    Silence tous ! —

    Aux conjurés.

                    Votre âme est-elle raffermie ?
Il convient que je donne au monde une leçon.
Lara le Castillan et Gotha le Saxon,
Vous tous ! que venait-on faire ici ? parlez.

HERNANI, *faisant un pas.*

                                        Sire,
La chose est toute simple, et l'on peut vous la dire.
Nous gravions la sentence au mur de Balthazar[1].

    Il tire un poignard et l'agite.

Nous rendions à César ce qu'on doit à César[2].

DON CARLOS
    Paix !

    A don Ruy Gomez.

        — Vous traître, Silva ?

DON RUY GOMEZ

                        Lequel de nous deux, sire ?

HERNANI, *se retournant vers les conjurés.*
1710 Nos têtes et l'empire ! — il a ce qu'il désire.

A l'empereur.

Le bleu manteau des rois pouvait gêner vos pas.
La pourpre vous va mieux. Le sang n'y paraît pas.

DON CARLOS, *à don Ruy Gomez.*
Mon cousin de Silva, c'est une félonie
A faire du blason rayer ta baronnie !
C'est haute trahison, don Ruy, songes-y bien !

DON RUY GOMEZ
Les rois Rodrigue font les comtes Julien[1] !

DON CARLOS, *au duc d'Alcala.*
Ne prenez que ce qui peut être duc ou comte. —
Le reste !... —

*Don Ruy Gomez, le duc de Lutzelbourg, le duc de
Gotha, don Juan de Haro, don Guzman de Lara, don
Tellez Giron, le baron de Hohenbourg se séparent du
groupe des conjurés, parmi lesquels est resté Hernani.
Le duc d'Alcala les entoure étroitement de gardes.*

DOÑA SOL
            Il est sauvé !

HERNANI, *sortant du groupe des conjurés.*
                        Je prétends qu'on me compte !

A don Carlos.

Puisqu'il s'agit de hache ici, que Hernani,
1720 Pâtre obscur, sous tes pieds passerait impuni,
Puisque son front n'est plus au niveau de ton glaive,
Puisqu'il faut être grand pour mourir, je me lève[2].
Dieu qui donne le sceptre et qui te le donna
M'a fait duc de Segorbe et duc de Cardona,
Marquis de Monroy, comte Albatera, vicomte
De Gor, seigneur de lieux dont j'ignore le compte.
Je suis Jean d'Aragon, grand maître d'Avis, né

Dans l'exil, fils proscrit d'un père assassiné
Par sentence du tien, roi Carlos de Castille !
1730 Le meurtre est entre nous affaire de famille.
Vous avez l'échafaud, nous avons le poignard.
Donc le ciel m'a fait duc et l'exil montagnard.
Mais puisque j'ai sans fruit aiguisé mon épée
Sur les monts, et dans l'eau des torrents retrempée,

Il met son chapeau.
Aux autres conjurés.

Couvrons-nous, grands d'Espagne ! —

Tous les Espagnols se couvrent.
A don Carlos.

Oui, nos têtes, ô roi,
Ont le droit de tomber couvertes devant toi !

Aux prisonniers.

— Silva ! Haro ! Lara ! gens de titre et de race,
Place à Jean d'Aragon ! ducs et comtes ! ma place !

Aux courtisans et aux gardes.

Je suis Jean d'Aragon, roi, bourreaux et valets !
1740 Et si vos échafauds sont petits, changez-les !

*Il vient se joindre au groupe des seigneurs prison-
niers.*

DOÑA SOL
Ciel !

DON CARLOS
En effet, j'avais oublié cette histoire.

HERNANI
Celui dont le flanc saigne a meilleure mémoire.
L'affront, que l'offenseur oublie en insensé,
Vit et toujours remue au cœur de l'offensé !

DON CARLOS
> Donc je suis, c'est un titre à n'en point vouloir
> > [d'autres,
> Fils de pères qui font choir la tête des vôtres !

DOÑA SOL, *se jetant à genoux devant l'empereur.*
> Sire ! pardon ! pitié ! Sire, soyez clément !
> Ou frappez-nous tous deux, car il est mon amant,
> Mon époux ! en lui seul je respire. — Oh ! je tremble.
> 1750 Sire ! ayez la pitié de nous tuer ensemble !
> Majesté ! je me traîne à vos sacrés genoux !
> Je l'aime ! il est à moi, comme l'empire à vous !
> Oh ! grâce !...

> > *Don Carlos la regarde, immobile.*

> > — Quel penser sinistre vous absorbe ?... —

DON CARLOS
> Allons ! relevez-vous, duchesse de Segorbe,
> Comtesse Albatera, marquise de Monroy...

> > *A Hernani.*

> — Tes autres noms, don Juan ? —

HERNANI
> > Qui parle ainsi ? le roi ?

DON CARLOS
> Non, l'empereur[1].

DOÑA SOL, *se relevant.*
> > Grand Dieu !

DON CARLOS, *la montrant à Hernani.*
> > Duc, voilà ton épouse !

HERNANI, *les yeux au ciel, et doña Sol dans ses bras.*
> Juste Dieu !

DON CARLOS, *à don Ruy Gomez.*

> Mon cousin, ta noblesse est jalouse,
> Je sais. — Mais Aragon peut épouser Silva.

DON RUY GOMEZ, *sombre.*

1760 Ce n'est pas ma noblesse !

HERNANI, *regardant doña Sol avec amour et la tenant embrassée.*

> Oh ! ma haine s'en va !

> *Il jette son poignard.*

DON RUY GOMEZ, *à part, les regardant tous deux.*
> Éclaterai-je ? oh non ! Fol amour ! douleur folle !
> Tu leur ferais pitié, vieille tête espagnole !
> Vieillard, brûle sans flamme, aime et souffre en secret,
> Laisse ronger ton cœur ! Pas un cri. — L'on rirait !

DOÑA SOL, *dans les bras d'Hernani.*
> Ô mon duc !

HERNANI

> Je n'ai plus que de l'amour dans l'âme.

DOÑA SOL
> Ô bonheur !

DON CARLOS, *à part, la main dans sa poitrine.*
> Éteins-toi, cœur jeune et plein de flamme !
> Laisse régner l'esprit, que longtemps tu troublas :
> Tes amours désormais, tes maîtresses, hélas !
> C'est l'Allemagne, c'est la Flandre, c'est l'Espagne.

> *L'œil fixé sur sa bannière.*

1770 L'empereur est pareil à l'aigle, sa compagne.
> A la place du cœur, il n'a qu'un écusson.

HERNANI
> Ah ! vous êtes César !

DON CARLOS, *à Hernani.*
>   De ta noble maison,
> Don Juan, ton cœur est digne.

Montrant doña Sol.
>   Il est digne aussi d'elle.
> — A genoux, duc !

Hernani s'agenouille. Don Carlos détache sa Toison d'or et la lui passe au cou.
>   — Reçois ce collier.

Don Carlos tire son épée et l'en frappe trois fois sur l'épaule.
>   Sois fidèle !
> Par saint Étienne, duc, je te fais chevalier.

Il le relève et l'embrasse.

> Mais tu l'as, le plus doux et le plus beau collier,
> Celui que je n'ai pas, qui manque au rang suprême,
> Les deux bras d'une femme aimée et qui vous aime !
> Ah ! tu vas être heureux ; — moi, je suis empereur.

Aux conjurés.

> 1780 Je ne sais plus vos noms, messieurs. — Haine et fureur,
> Je veux tout oublier. Allez, je vous pardonne !
> C'est la leçon qu'au monde il convient que je donne.
> Ce n'est pas vainement qu'à Charles Premier, roi,
> L'empereur Charles Quint succède, et qu'une loi
> Change, aux yeux de l'Europe, orpheline éplorée,
> L'Altesse catholique en majesté sacrée[1].

Les conjurés tombent à genoux.

LES CONJURÉS
> Gloire à Carlos !

DON RUY GOMEZ, *à don Carlos.*
>   Moi seul, je reste condamné.

DON CARLOS
    Et moi !

HERNANI
        Je ne hais plus. Carlos a pardonné.
    Qui donc nous change tous ainsi ?

TOUS, *soldats, conjurés, seigneurs.*

                                    Vive Allemagne !
1790 Honneur à Charles Quint !

DON CARLOS, *se tournant vers le tombeau.*

                            Honneur à Charlemagne !
    Laissez-nous seuls tous deux.

        Tous sortent.

Scène 5

DON CARLOS, *seul*

Il s'incline devant le tombeau.

                            Es-tu content de moi ?
    Ai-je bien dépouillé les misères du roi ?
    Charlemagne ! empereur, suis-je bien un autre homme ?
    Puis-je accoupler mon casque à la mitre de Rome ?
    Aux fortunes du monde ai-je droit de toucher ?
    Ai-je un pied sûr et ferme, et qui puisse marcher
    Dans ce sentier, semé des ruines vandales[1],
    Que tu nous as battu de tes larges sandales ?
    Ai-je bien à ta flamme allumé mon flambeau ?
1800 Ai-je compris la voix qui parle en ton tombeau ?
    — Ah ! j'étais seul, perdu, seul devant un empire,
    Tout un monde qui hurle, et menace, et conspire ;

Le Danois[1] à punir, le Saint-Père à payer,
Venise, Soliman[2], Luther, François Premier,
Mille poignards jaloux luisant déjà dans l'ombre,
Des pièges, des écueils, des ennemis sans nombre,
Vingt peuples dont un seul ferait peur à vingt rois,
Tout pressé, tout pressant, tout à faire à la fois !
Je t'ai crié : — Par où faut-il que je commence ?
1810 Et tu m'as répondu : — Mon fils, par la clémence !

Acte V

LA NOCE

SARAGOSSE

Une terrasse du palais d'Aragon. Au fond, la rampe d'un escalier qui s'enfonce dans le jardin. A droite et à gauche, deux portes donnant sur cette terrasse, que ferme au fond du théâtre une balustrade surmontée de deux rangs d'arcades moresques, au-dessus et au travers desquelles on voit les jardins du palais, les jets d'eau dans l'ombre, les bosquets avec des lumières qui s'y promènent, et au fond les faîtes gothiques et arabes du palais illuminé. — Il est nuit. On entend des fanfares éloignées. — Des masques, des dominos, épars, isolés ou groupés, traversent çà et là la terrasse. Sur le devant du théâtre, un groupe de jeunes seigneurs, les masques à la main, riant et causant à grand bruit.

Scène 1

DON SANCHO SANCHEZ DE ZUNIGA, *comte de Monterey*, DON MATIAS CENTURION, *marquis d'Almuñan*, DON RICARDO DE ROXAS, *comte de Casapalma*, DON FRANCISCO DE SOTOMAYOR, *comte de Velalcazar*, DON GARCI SUAREZ DE CARBAJAL, *comte de Peñalver*

DON GARCI
   Ma foi, vive la joie et vive l'épousée !

DON MATIAS, *regardant au balcon.*
   Saragosse ce soir se met à la croisée.

DON GARCI
   Et fait bien ! on ne vit jamais noce aux flambeaux
   Plus gaie, et nuit plus douce, et mariés plus beaux !

DON MATIAS
   Bon empereur !

DON SANCHO
                     Marquis, certain soir qu'à la brune
   Nous allions avec lui tous deux cherchant fortune,
   Qui nous eût dit qu'un jour tout finirait ainsi ?

DON RICARDO, *l'interrompant.*
   J'en étais.

         Aux autres.

               Écoutez l'histoire que voici :
   Trois galants, un bandit que l'échafaud réclame,
1820 Puis un duc, puis un roi, d'un même cœur de femme
   Font le siège à la fois. — L'assaut donné, qui l'a ?
   C'est le bandit.

DON FRANCISCO
                    Mais rien que de simple en cela.
  L'amour et la fortune, ailleurs comme en Espagne,
  Sont jeux de dés pipés. C'est le voleur qui gagne !

DON RICARDO
  Moi, j'ai fait ma fortune à voir faire l'amour.
  D'abord comte, puis grand, puis alcade de cour,
  J'ai fort bien employé mon temps, sans qu'on s'en
                                                        [doute.

DON SANCHO
  Le secret de Monsieur, c'est d'être sur la route
  Du roi...

DON RICARDO
                    Faisant valoir mes droits, mes actions...

DON GARCI
1830 Vous avez profité de ses distractions.

DON MATIAS
  Que devient le vieux duc ? fait-il clouer sa bière ?

DON SANCHO
  Marquis, ne riez pas. Car c'est une âme fière.
  Il aimait doña Sol, ce vieillard. Soixante ans
  Ont fait ses cheveux gris, un jour les a faits blancs !

DON GARCI
  Il n'a pas reparu, dit-on, à Saragosse ?

DON SANCHO
  Vouliez-vous pas qu'il mît son cercueil de la noce ?

DON FRANCISCO
  Et que fait l'empereur ?

DON SANCHO
                    L'empereur aujourd'hui
  Est triste. Le Luther lui donne de l'ennui.

DON RICARDO
    Ce Luther, beau sujet de soucis et d'alarmes !
1840 Que j'en finirais vite avec quatre gendarmes !

DON MATIAS
    Le Soliman aussi lui fait ombre.

DON GARCI
                              Ah ! Luther !
    Soliman, Neptunus, le diable et Jupiter,
    Que me font ces gens-là ? les femmes sont jolies,
    La mascarade est rare, et j'ai dit cent folies !

DON SANCHO
    Voilà l'essentiel.

DON RICARDO
                    Garci n'a point tort. Moi,
    Je ne suis plus le même un jour de fête, et croi
    Qu'un masque que je mets me fait une autre tête,
    En vérité !

DON SANCHO, *bas à don Matias.*
                Que n'est-ce alors tous les jours fête !

DON FRANCISCO, *montrant la porte à droite.*
    Messeigneurs, n'est-ce pas la chambre des époux ?

DON GARCI, *avec un signe de tête.*
1850 Nous les verrons venir dans l'instant.

DON FRANCISCO
                                    Croyez-vous ?

DON GARCI
    Hé ! sans doute !

DON FRANCISCO
                    Tant mieux. L'épousée est si belle !

    RICARDO
        pereur est bon ! — Hernani, ce rebelle,

Avoir la Toison d'Or ! — marié ! — pardonné !
Loin de là, s'il m'eût cru, l'empereur eût donné
Lit de pierre au galant, lit de plume à la dame.

DON SANCHO, *bas à don Matias.*
Que je le crèverais volontiers de ma lame !
Faux seigneur de clinquant recousu de gros fil !
Pourpoint de comte, empli de conseils d'alguazil[1] !

DON RICARDO, *s'approchant.*
Que dites-vous là ?

DON MATIAS, *bas à don Sancho.*
         Comte, ici pas de querelle !

   A don Ricardo.

1860 Il me chante un sonnet de Pétrarque à sa belle.

DON GARCI
Avez-vous remarqué, Messieurs, parmi les fleurs,
Les femmes, les habits de toutes les couleurs,
Ce spectre, qui, debout contre une balustrade,
De son domino noir tachait la mascarade ?

DON RICARDO
Oui, pardieu !

DON GARCI
      Qu'est-ce donc ?

DON RICARDO
           Mais sa taille, son air...
C'est don Prancasio, général de la mer.

DON FRANCISCO
Non.

DON GARCI
   Il n'a pas quitté son masque.

DON FRANCISCO
          Il n'avait garde.

C'est le duc de Soma qui veut qu'on le regarde.
Rien de plus.

DON RICARDO

> Non. Le duc m'a parlé.

DON GARCI

> > Qu'est-ce alors

1870 Que ce masque ? — Tenez, le voilà.

Entre un domino noir qui traverse lentement le fond
du théâtre. Tous se retournent et le suivent des yeux
sans qu'il paraisse y prendre garde.

DON SANCHO

> > Si les morts

Marchent, voici leur pas[1].

DON GARCI, *courant au domino noir.*

> > Beau masque !

Le domino noir se retourne et s'arrête. Garci recule.

> > Sur mon âme,

Messeigneurs, dans ses yeux j'ai vu luire une flamme.

DON SANCHO

Si c'est le diable, il trouve à qui parler.

Il va au domino noir, toujours immobile.

> > Mauvais !

Nous viens-tu de l'enfer ?

LE MASQUE

> > Je n'en viens pas, j'y vais.

Il reprend sa marche, et disparaît par la rampe de
l'escalier. Tous le suivent des yeux avec une sorte d'ef-
froi.

DON MATIAS

La voix est sépulcrale, autant qu'on le peut dire.

DON GARCI
   Baste ! ce qui fait peur ailleurs, au bal fait rire !

DON SANCHO
   Quelque mauvais plaisant !

DON GARCI
                              Ou si c'est Lucifer
   Qui vient nous voir danser en attendant l'enfer,
   Dansons !

DON SANCHO
                 C'est, à coup sûr, quelque bouffonnerie.

DON MATIAS
1880 Nous le saurons demain.

DON SANCHO, *à don Matias.*
                              Regardez, je vous prie.
   Que devient-il ?

DON MATIAS, *à la balustrade de la terrasse.*
                     Il a descendu l'escalier.
   — Plus rien.

DON SANCHO
                 C'est un plaisant drôle !

   Rêvant.

                                          C'est singulier.

DON GARCI, *à une dame qui passe.*
   Marquise, dansons-nous celle-ci ?

   Il la salue et lui présente la main.

LA DAME
                              Mon cher comte,
   Vous savez, avec vous, que mon mari les compte.

DON GARCI
   Raison de plus. Cela l'amuse apparemment.

C'est son plaisir. Il compte et nous dansons.

La dame lui donne la main et ils sortent.

DON SANCHO, *pensif.*

Vraiment,

C'est singulier.

DON MATIAS

Voici les mariés. Silence.

Entrent Hernani et doña Sol se donnant la main. Doña Sol en magnifique habit de mariée. Hernani tout en velours noir, avec la Toison d'Or au cou. Derrière eux, foule de masques, de dames et de seigneurs qui leur font cortège. Deux hallebardiers en riche livrée les suivent, et quatre pages les précèdent. Tout le monde se range et s'incline sur leur passage. Fanfares.

Scène 2

LES MÊMES, HERNANI, DOÑA SOL, SUITE

HERNANI, *saluant.*

Chers amis !...

DON RICARDO, *allant à lui et s'inclinant.*

Ton bonheur fait le nôtre, excellence !

DON FRANCISCO, *contemplant doña Sol.*

Saint Jacques monseigneur ! c'est Vénus qu'il conduit !

DON MATIAS

1890 D'honneur, on est heureux un pareil jour la nuit !

DON FRANCISCO, *montrant à don Matias la chambre nuptiale.*

Qu'il va se passer là de gracieuses choses !

Être fée, et tout voir, feux éteints, portes closes,
Serait-ce pas charmant ?

DON SANCHO, *à don Matias.*

                    Il est tard. Partons-nous ?

*Tous vont saluer les mariés et sortent, les uns par la
porte, les autres par l'escalier du fond.*

HERNANI, *les reconduisant.*
  Dieu vous garde !

DON SANCHO, *resté le dernier, lui serre la main.*
                 Soyez heureux.

Il sort.
*Hernani et doña Sol restent seuls. — Bruit de pas et de
voix qui s'éloignent, puis cessent tout à fait. Pendant
tout le commencement de la scène qui suit, les fanfares
et les lumières éloignées s'éteignent par degrés. La nuit
et le silence reviennent peu à peu.*

Scène 3

HERNANI, DOÑA SOL

DOÑA SOL

                     Ils s'en vont tous
  Enfin !

HERNANI, *cherchant à l'attirer dans ses bras.*
    Cher amour !

DOÑA SOL, *rougissant et reculant.*
             C'est... qu'il est tard, ce me semble...

HERNANI

Ange ! Il est toujours tard pour être seuls ensemble !

DOÑA SOL

Ce bruit me fatiguait ! — N'est-ce pas, cher seigneur,
Que toute cette joie étourdit le bonheur ?

HERNANI

Tu dis vrai. Le bonheur, amie, est chose grave.
1900 Il veut des cœurs de bronze et lentement s'y grave.
Le plaisir l'effarouche en lui jetant des fleurs.
Son sourire est moins près du rire que des pleurs !

DOÑA SOL

Dans vos yeux ce sourire est le jour.

Hernani cherche à l'entraîner vers la porte. Elle rougit.

— Tout à l'heure.

HERNANI

Oh ! je suis ton esclave ! — Oui, demeure, demeure !
Fais ce que tu voudras. Je ne demande rien.
Tu sais ce que tu fais ! ce que tu fais est bien !
Je rirai si tu veux, je chanterai. Mon âme
Brûle... Eh ! dis au volcan qu'il étouffe sa flamme,
Le volcan fermera ses gouffres entrouverts,
1910 Et n'aura sur ses flancs que fleurs et gazons verts !
Car le géant est pris, le Vésuve est esclave,
Et que t'importe, à toi, son cœur rongé de lave ?
Tu veux des fleurs ! c'est bien. Il faut que de son mieux
Le volcan tout brûlé s'épanouisse aux yeux !

DOÑA SOL

Oh ! que vous êtes bon pour une pauvre femme,
Hernani de mon cœur !

HERNANI

Quel est ce nom, Madame ?

Oh ! ne me nomme plus de ce nom, par pitié !
Tu me fais souvenir que j'ai tout oublié !
Je sais qu'il existait autrefois, dans un rêve,
1920 Un Hernani, dont l'œil avait l'éclair du glaive,
Un homme de la nuit et des monts, un proscrit
Sur qui le mot *vengeance* était partout écrit !
Un malheureux traînant après lui l'anathème !
Mais je ne connais pas ce Hernani. — Moi, j'aime
Les prés, les fleurs, les bois, le chant du rossignol.
Je suis Jean d'Aragon, mari de doña Sol !
Je suis heureux !

DOÑA SOL

         Je suis heureuse !

HERNANI

               Que m'importe
Les haillons qu'en entrant j'ai laissés à la porte !
Voici que je reviens à mon palais en deuil.
1930 Un ange du Seigneur m'attendait sur le seuil.
J'entre, et remets debout les colonnes brisées,
Je rallume le feu, je rouvre les croisées,
Je fais arracher l'herbe au pavé de la cour,
Je ne suis plus que joie, enchantement, amour.
Qu'on me rende mes tours, mes donjons, mes bastilles,
Mon panache, mon siège au conseil des Castilles,
Vienne ma doña Sol, rouge et le front baissé,
Qu'on nous laisse tous deux, et le reste est passé !
Je n'ai rien vu, rien dit, rien fait, je recommence,
1940 J'efface tout, j'oublie ! Ou sagesse ou démence,
Je vous ai, je vous aime, et vous êtes mon bien !

DOÑA SOL
Que sur ce velours noir ce collier d'or fait bien !

HERNANI
Vous vîtes avant moi le roi mis de la sorte.

DOÑA SOL

Je n'ai pas remarqué. — Tout autre, que m'importe !
Puis, est-ce le velours ou le satin encor ?
Non, mon duc. C'est ton cou qui sied au collier d'or !
Vous êtes noble et fier, monseigneur.

Il veut l'entraîner.

                                        — Tout à l'heure !
Un moment ! — Vois-tu bien ? c'est la joie, et je pleure.
Viens voir la belle nuit !

Elle va à la balustrade.

                              — Mon duc, rien qu'un moment !
1950 Le temps de respirer et de voir seulement !
Tout s'est éteint, flambeaux et musique de fête.
Rien que la nuit et nous ! Félicité parfaite[1] !
Dis, ne le crois-tu pas ? Sur nous, tout en dormant,
La nature à demi veille amoureusement.
La lune est seule aux cieux, qui comme nous repose,
Et respire avec nous l'air embaumé de rose !
Regarde : plus de feux, plus de bruit. Tout se tait.
La lune tout à l'heure à l'horizon montait,
Tandis que tu parlais, sa lumière qui tremble
1960 Et ta voix, toutes deux m'allaient au cœur ensemble ;
Je me sentais joyeuse et calme, ô mon amant !
Et j'aurais bien voulu mourir en ce moment.

HERNANI

Ah ! qui n'oublierait tout à cette voix céleste ?
Ta parole est un chant où rien d'humain ne reste.
Et comme un voyageur sur un fleuve emporté,
Qui glisse sur les eaux par un beau soir d'été,
Et voit fuir sous ses yeux mille plaines fleuries,
Ma pensée entraînée erre en tes rêveries !

DOÑA SOL

Ce silence est trop noir. Ce calme est trop profond.

1970 Dis, ne voudrais-tu point voir une étoile au fond ?
Ou qu'une voix des nuits, tendre et délicieuse,
S'élevant tout à coup, chantât ?...

HERNANI, *souriant.*

                              Capricieuse !
Tout à l'heure on fuyait la lumière et les chants !

DOÑA SOL

Le bal ! — Mais un oiseau qui chanterait aux champs !
Un rossignol, perdu dans l'ombre et dans la mousse,
Ou quelque flûte au loin !... — Car la musique est douce,
Fait l'âme harmonieuse, et, comme un divin chœur,
Éveille mille voix qui chantent dans le cœur !
— Ah ! ce serait charmant !

   On entend le bruit lointain d'un cor dans l'ombre.

                              — Dieu ! je suis exaucée !

HERNANI, *tressaillant, à part.*
1980 Ah ! malheureuse !

DOÑA SOL

                 Un ange a compris ma pensée, —
Ton bon ange sans doute ?

HERNANI, *amèrement.*

                          Oui, mon bon ange !

   A part.

                                        Encor !...

DOÑA SOL, *souriant.*
Don Juan, je reconnais le son de votre cor !

HERNANI
N'est-ce pas ?

DOÑA SOL

                 Seriez-vous dans cette sérénade
De moitié ?

HERNANI
De moitié, tu l'as dit.

DOÑA SOL
Bal maussade !
Ah ! que j'aime bien mieux le cor au fond des bois !...
Et puis, c'est votre cor, c'est comme votre voix.

Le cor recommence.

HERNANI, *à part.*
Ah ! le tigre est en bas qui hurle et veut sa proie !

DOÑA SOL
Don Juan, cette harmonie emplit le cœur de joie !...

HERNANI, *se levant terrible.*
Nommez-moi Hernani ! nommez-moi Hernani !
1990 Avec ce nom fatal je n'en ai pas fini !

DOÑA SOL, *tremblante.*
Qu'avez-vous ?

HERNANI
Le vieillard !

DOÑA SOL
Dieu ! quels regards funèbres !
Qu'avez-vous ?

HERNANI
Le vieillard qui rit dans les ténèbres !
— Ne le voyez-vous pas ?

DOÑA SOL
Où vous égarez-vous ?
Qu'est-ce que ce vieillard ?

HERNANI
Le vieillard !

DOÑA SOL

A genoux

Je t'en supplie, oh ! dis ! quel secret te déchire ?
Qu'as-tu ?

HERNANI

Je l'ai juré !

DOÑA SOL

Juré !

Elle suit tous ses mouvements avec anxiété. Il s'arrête
tout à coup et passe la main sur son front.

HERNANI, *à part.*

Qu'allais-je dire ?

Épargnons-la.

Haut.

Moi, rien. De quoi t'ai-je parlé ?

DOÑA SOL

Vous avez dit...

HERNANI

Non, non... j'avais l'esprit troublé...
Je souffre un peu, vois-tu. N'en prends pas d'épouvante.

DOÑA SOL

2000 Te faut-il quelque chose ? ordonne à ta servante !

Le cor recommence.

HERNANI, *à part.*

Il le veut ! il le veut ! il a mon serment !

Cherchant son poignard.

— Rien.

Ce devrait être fait ! — Ah !...

DOÑA SOL

Tu souffres donc bien ?

HERNANI

Une blessure ancienne, et qui semblait fermée,
Se rouvre...

A part.

Éloignons-la.

Haut.

Doña Sol, bien-aimée,
Écoute, ce coffret qu'en des jours moins heureux
Je portais avec moi...

DOÑA SOL

Je sais ce que tu veux.
Eh bien, qu'en veux-tu faire ?

HERNANI

Un flacon qu'il renferme
Contient un élixir qui pourra mettre un terme
Au mal que je ressens... Va !

DOÑA SOL

J'y vais, monseigneur.

Elle sort par la porte de la chambre nuptiale.

Scène 4

HERNANI, *seul*

2010 Voilà donc ce qu'il vient faire de mon bonheur !
Voici le doigt fatal qui luit sur la muraille[1] !
Oh ! que la destinée amèrement me raille !

*Il tombe dans une profonde et convulsive rêverie, puis
se détourne brusquement.*

Eh bien ?... — Mais tout se tait. Je n'entends rien
Si je m'étais trompé !...   [venir.

Le masque en domino noir paraît au haut de la
rampe. Hernani s'arrête pétrifié.

Scène 5

HERNANI, LE MASQUE

LE MASQUE
                              « Quoi qu'il puisse advenir,
    « Quand tu voudras, vieillard, quel que soit le lieu,
                                            [l'heure,
    « S'il te passe à l'esprit qu'il est temps que je meure,
    « Viens, sonne de ce cor, et ne prends d'autres soins.
    « Tout sera fait. » — Ce pacte eut les morts pour
    Eh bien, tout est-il fait ?   [témoins.

HERNANI, *à voix basse.*
                        C'est lui !

LE MASQUE
                              Dans ta demeure
2020 Je viens, et je te dis qu'il est temps. C'est mon heure.
    Je te trouve en retard.

HERNANI
                        Bien. Quel est ton plaisir ?
    Que feras-tu de moi ? Parle.

LE MASQUE
                              Tu peux choisir
    Du fer ou du poison. Ce qu'il faut, je l'apporte.
    Nous partirons tous deux.

HERNANI

Soit.

LE MASQUE

Prions-nous ?

HERNANI

Qu'importe !

LE MASQUE

Que prends-tu ?

HERNANI

Le poison.

LE MASQUE

Bien ! Donne-moi ta main.

*Il présente une fiole à Hernani, qui la reçoit en pâlis-
sant.*

Bois, pour que je finisse.

Hernani approche la fiole de ses lèvres, puis recule.

HERNANI

Oh ! par pitié ! demain ! —
Oh ! s'il te reste un cœur, duc, ou du moins une âme ;
Si tu n'es pas un spectre échappé de la flamme ;
Un mort damné, fantôme ou démon désormais ;
2030 Si Dieu n'a point encor mis sur ton front : «Jamais!»
Si tu sais ce que c'est que ce bonheur suprême
D'aimer, d'avoir vingt ans, d'épouser quand on aime ;
Si jamais femme aimée a tremblé dans tes bras,
Attends jusqu'à demain. — Demain tu reviendras !

LE MASQUE

Simple qui parle ainsi ! demain ! demain ! — tu railles !
Ta cloche a ce matin sonné tes funérailles !
Et que ferais-je, moi, cette nuit ? J'en mourrais.
Et qui viendrait te prendre et t'emporter après ?

Seul descendre au tombeau ! Jeune homme, il faut me
[suivre !

HERNANI

2040 Eh bien, non ! et de toi, démon, je me délivre !
Je n'obéirai pas.

LE MASQUE

Je m'en doutais. — Fort bien.
Sur quoi donc m'as-tu fait ce serment ? Ah ! sur rien.
Peu de chose après tout ! La tête de ton père.
Cela peut s'oublier. La jeunesse est légère.

HERNANI

Mon père ! — Mon père !... — Ah ! j'en perdrai la
[raison !...

LE MASQUE

Non, ce n'est qu'un parjure et qu'une trahison.

HERNANI

Duc !...

LE MASQUE

Puisque les aînés des maisons espagnoles
Se font jeu maintenant de fausser leurs paroles,

Il fait un pas pour sortir.

Adieu !

HERNANI

Ne t'en va pas.

LE MASQUE

Alors...

HERNANI

Vieillard cruel !

Il prend la fiole.

2050 Revenir sur mes pas à la porte du ciel !...

*Rentre doña Sol, sans voir le masque qui est debout
près de la rampe au fond du théâtre.*

Scène 6

LES MÊMES, DOÑA SOL

DOÑA SOL
  Je n'ai pu le trouver, ce coffret.

HERNANI, *à part.*

                              Dieu ! c'est elle !
  Dans quel moment !

DOÑA SOL

                    Qu'a-t-il ? je l'effraie, il chancelle
  A ma voix ! — Que tiens-tu dans ta main ? quel
  Que tiens-tu dans ta main ? réponds.   [soupçon !

  *Le domino se démasque. Elle pousse un cri et recon-
  naît don Ruy.*

                                            — C'est du poison !

HERNANI
  Grand Dieu !

DOÑA SOL, *à Hernani.*
                  Que t'ai-je fait ? quel horrible mystère !...
  Vous me trompiez, don Juan !...

HERNANI

                                      Ah ! j'ai dû te le taire.
  J'ai promis de mourir au duc qui me sauva.
  Aragon doit payer cette dette à Silva.

DOÑA SOL
  Vous n'êtes pas à lui, mais à moi. Que m'importe
  2060 Tous vos autres serments !

A don Ruy Gomez.

Duc, l'amour me rend forte.
Contre vous, contre tous, duc, je le défendrai.

DON RUY GOMEZ, *immobile.*
Défends-le, si tu peux, contre un serment juré.

DOÑA SOL
Quel serment ?

HERNANI
J'ai juré.

DOÑA SOL
Non, non ; rien ne te lie ;
Cela ne se peut pas ! crime, attentat, folie !

DON RUY GOMEZ
Allons, duc !

*Hernani fait un geste pour obéir. Doña Sol cherche à
l'arrêter.*

HERNANI
Laissez-moi, doña Sol, il le faut.
Le duc a ma parole, et mon père est là-haut !

DOÑA SOL, *à don Ruy.*
Il vaudrait mieux pour vous aller aux tigres même
Arracher leurs petits, qu'à moi celui que j'aime.
Savez-vous ce que c'est que doña Sol ? Longtemps,
2070 Par pitié pour votre âge et pour vos soixante ans,
J'ai fait la fille douce, innocente et timide ;
Mais voyez-vous cet œil de pleurs de rage humide ?

Elle tire un poignard de son sein.

Voyez-vous ce poignard ? Ah ! vieillard insensé,
Craignez-vous pas le fer quand l'œil a menacé ?
Prenez garde, don Ruy ! — je suis de la famille,
Mon oncle ! — écoutez-moi, fussé-je votre fille,
Malheur si vous portez la main sur mon époux !...

> *Elle jette le poignard, et tombe à genoux devant le duc.*

Ah ! je tombe à vos pieds ! Ayez pitié de nous !
Grâce ! hélas ! monseigneur, je ne suis qu'une femme,
2080 Je suis faible, ma force avorte dans mon âme,
Je me brise aisément, je tombe à vos genoux !
Ah ! je vous en supplie, ayez pitié de nous !

DON RUY GOMEZ
Doña Sol !

DOÑA SOL
                    Pardonnez ! Nous autres Espagnoles,
Notre douleur s'emporte à de vives paroles,
Vous le savez. Hélas ! vous n'étiez pas méchant !
Pitié ! Vous me tuez, mon oncle, en le touchant !
Pitié ! je l'aime tant !...

DON RUY GOMEZ, *sombre.*
                         Vous l'aimez trop !

HERNANI
                                        Tu pleures !

DOÑA SOL
Non, non, je ne veux pas, mon amour, que tu meures !
Non, je ne le veux pas.

> *A don Ruy.*

                         Faites grâce aujourd'hui ;
2090 Je vous aimerai bien aussi, vous.

DON RUY GOMEZ
                                   Après lui !
De ces restes d'amour, d'amitié, — moins encore, —
Croyez-vous apaiser la soif qui me dévore ?

> *Montrant Hernani.*

Il est seul ! il est tout ! Mais moi, belle pitié !

Qu'est-ce que je peux faire avec votre amitié ?
Ô rage ! il aurait, lui, le cœur, l'amour, le trône,
Et d'un regard de vous il me ferait l'aumône !
Et s'il fallait un mot à mes vœux insensés
C'est lui qui vous dirait : — Dis cela, c'est assez ! —
En maudissant tout bas le mendiant avide
2100 Auquel il faut jeter le fond du verre vide !
Honte ! dérision ! Non, il faut en finir.
Bois !

HERNANI
        Il a ma parole, et je dois la tenir.

DON RUY GOMEZ
    Allons !

    Hernani approche la fiole de ses lèvres. Doña Sol se
    jette sur son bras.

DOÑA SOL
            Oh ! pas encor ! Daignez tous deux m'entendre.

DON RUY GOMEZ
    Le sépulcre est ouvert, et je ne puis attendre.

DOÑA SOL
    Un instant, monseigneur ! mon don Juan ! — Ah ! tous
                                                    [deux
    Vous êtes bien cruels ! — Qu'est-ce que je veux d'eux ?
    Un instant ! voilà tout... tout ce que je réclame !
    Enfin, on laisse dire à cette pauvre femme
    Ce qu'elle a dans le cœur !... — Oh ! laissez-moi parler !...

DON RUY GOMEZ, *à Hernani.*
2110 J'ai hâte.

DOÑA SOL
            Messeigneurs ! vous me faites trembler !
    Que vous ai-je donc fait ?

HERNANI
>   Ah ! son cri me déchire.

DOÑA SOL, *lui retenant toujours le bras.*
> Vous voyez bien que j'ai mille choses à dire !

DON RUY GOMEZ, *à Hernani.*
> Il faut mourir.

DOÑA SOL, *toujours pendue au bras d'Hernani.*
>   Don Juan, lorsque j'aurai parlé,
> Tout ce que tu voudras, tu le feras.

Elle lui arrache la fiole.

>   Je l'ai.

Elle élève la fiole aux yeux d'Hernani et du vieillard étonné.

DON RUY GOMEZ
> Puisque je n'ai céans affaire qu'à deux femmes,
> Don Juan, il faut qu'ailleurs j'aille chercher des âmes.
> Tu fais de beaux serments par le sang dont tu sors,
> Et je vais à ton père en parler chez les morts !
> — Adieu !...

Il fait quelques pas pour sortir. Hernani le retient.

HERNANI
>   Duc, arrêtez.

A doña Sol.

>   Hélas ! je t'en conjure,
2120 Veux-tu me voir faussaire, et félon, et parjure ?
> Veux-tu que partout j'aille avec la trahison
> Écrite sur le front ? Par pitié, ce poison,
> Rends-le-moi ! Par l'amour, par notre âme
>   [immortelle...

DOÑA SOL, *sombre.*
   Tu veux ?

      Elle boit.

         Tiens maintenant.

DON RUY GOMEZ, *à part.*
                  Ah ! c'était donc pour elle !

DOÑA SOL, *rendant à Hernani la fiole à demi vidée.*
   Prends, te dis-je.

HERNANI, *à don Ruy.*
            Vois-tu, misérable vieillard ?

DOÑA SOL
   Ne te plains pas de moi, je t'ai gardé ta part.

HERNANI, *prenant la fiole.*
   Dieu !

DOÑA SOL
      Tu ne m'aurais pas ainsi laissé la mienne,
   Toi !... Tu n'as pas le cœur d'une épouse chrétienne,
   Tu ne sais pas aimer comme aime une Silva.
2130 Mais j'ai bu la première et suis tranquille. — Va !
   Bois si tu veux !

HERNANI
            Hélas ! qu'as-tu fait, malheureuse ?

DOÑA SOL
   C'est toi qui l'as voulu.

HERNANI
                  C'est une mort affreuse !

DOÑA SOL
   Non. — Pourquoi donc ?

HERNANI
                  Ce philtre au sépulcre conduit.

DOÑA SOL

Devions-nous pas dormir ensemble cette nuit ?
Qu'importe dans quel lit !

HERNANI

                                   Mon père, tu te venges
Sur moi qui t'oubliais !

Il porte la fiole à sa bouche.

DOÑA SOL, *se jetant sur lui.*

                              Ciel ! des douleurs étranges !...
Ah ! jette loin de toi ce philtre !... ma raison
S'égare. — Arrête ! hélas ! mon don Juan ! ce poison
Est vivant, ce poison dans le cœur fait éclore
2140 Une hydre à mille dents qui ronge et qui dévore !
Oh ! je ne savais pas qu'on souffrît à ce point !
Qu'est-ce donc que cela ? c'est du feu ! ne bois point !
Oh ! tu souffrirais trop !

HERNANI, *à don Ruy.*

                              Ah ! ton âme est cruelle !
Pouvais-tu pas choisir d'autre poison pour elle ?

Il boit et jette la fiole.

DOÑA SOL

Que fais-tu ?

HERNANI

              Qu'as-tu fait ?

DOÑA SOL

                              Viens, ô mon jeune amant,
Dans mes bras.

Ils s'asseyent l'un près de l'autre.

              N'est-ce pas qu'on souffre horriblement ?

HERNANI

Non.

Annette Lugand et José Valverde.
Mise en scène de José Valverde (Théâtre Récamier, 1977.)

DOÑA SOL
>   Voilà notre nuit de noces commencée !
>   Je suis bien pâle, dis, pour une fiancée ?

HERNANI
>   Ah !

DON RUY GOMEZ
>   La fatalité s'accomplit.

HERNANI
>   Désespoir !
> 2150 Ô tourment ! doña Sol souffrir, et moi le voir !

DOÑA SOL
>   Calme-toi. Je suis mieux. — Vers des clartés nouvelles
>   Nous allons tout à l'heure ensemble ouvrir nos ailes.
>   Partons d'un vol égal vers un monde meilleur.
>   Un baiser seulement, un baiser !

Ils s'embrassent.

DON RUY GOMEZ
>   Ô douleur !

HERNANI, *d'une voix affaiblie.*
>   Oh ! béni soit le ciel qui m'a fait une vie
>   D'abîmes entourée et de spectres suivie,
>   Mais qui permet que, las d'un si rude chemin,
>   Je puisse m'endormir, ma bouche sur ta main !

DON RUY GOMEZ
>   Qu'ils sont heureux !

HERNANI, *d'une voix de plus en plus faible.*
>   Viens... viens... doña Sol, tout est sombre...
> 2160 Souffres-tu ?

DOÑA SOL, *d'une voix également éteinte.*
>   Rien, plus rien.

HERNANI

Vois-tu des feux dans l'ombre?

DOÑA SOL

Pas encor.

HERNANI, *avec un soupir.*

Voici...

Il tombe.

DON RUY GOMEZ, *soulevant sa tête qui retombe.*

Mort!

DOÑA SOL, *échevelée et se dressant à demi sur son
    séant.*

Mort! non pas!... nous dormons.
Il dort! c'est mon époux, vois-tu, nous nous aimons,
Nous sommes couchés là. C'est notre nuit de noce.

D'une voix qui s'éteint.

Ne le réveillez pas, seigneur duc de Mendoce...
Il est las.

Elle retourne la figure d'Hernani.

Mon amour, tiens-toi vers moi tourné.
Plus près... plus près encor...

Elle retombe.

DON RUY GOMEZ

Morte!... Oh! je suis damné!...

Il se tue.

Commentaires

par

Anne Ubersfeld

Originalité de l'œuvre

Hugo en 1829

Hugo en 1829 est déjà, malgré son jeune âge, un écrivain célèbre. Il a écrit des *Odes* royalistes qui lui ont valu non seulement une pension royale mais une certaine gloire ; il est tenu pour romantique par ses *Ballades* et par ses romans *Han d'Islande* et *Bug-Jargal* qui ont intéressé. Il vient de faire une sorte de scandale en protestant avec vigueur contre l'offense faite aux maréchaux de France par l'ambassadeur d'Autriche : c'est la célèbre *Ode à la Colonne* (1827) où il revendique la continuité de la France à travers la Révolution et les gloires de l'Empire ; il cesse donc d'être vraiment légitimiste. Il vient de faire un autre scandale, peut-être plus grand encore (février 1829) en publiant *Le Dernier Jour d'un condamné*, extraordinaire petit roman d'une facture toute moderne, plaidoyer terrible contre la peine de mort.

Les débuts au théâtre

La production théâtrale en ces années se compose essentiellement de tragédies néo-classiques taillées sur le patron des tragédies de Voltaire, celles par exemple de Népomucène Lemercier et du célèbre Casimir Delavigne

— et de comédies bourgeoises dont les meilleures sont celles d'Eugène Scribe. Ce n'est pas que ces auteurs n'aient déjà cherché à desserrer le carcan des unités, mais la pâleur du contexte historique, le convenu des situations et des sentiments, le style désuet les rendaient interchangeables et soporifiques. Ce sont les productions des théâtres officiels, Comédie-Française et Odéon, qui connaissent les pires difficultés financières. D'un autre côté, au Boulevard, le mélodrame est florissant.

Ce n'est pas qu'il n'y ait des tentatives romantiques mais elles restent littéraires ; ce sont les *scènes historiques*, petits textes en prose racontant des épisodes de l'histoire et non destinés à la représentation ; le meilleur en est *La Jacquerie* de Mérimée.

C'est aussi par un texte non destiné à la scène que Hugo débute, un drame géant (6420 vers), *Cromwell*, accompagné d'une *Préface* qui est en fait une postface. Ce qu'il tente avec ce *Cromwell*, ce n'est pas tant d'assurer la révolution scénique du romantisme que d'explorer les limites du théâtre. Il veut montrer que le théâtre peut tout dire : montrer l'histoire et montrer le monde. L'histoire d'abord avec son double visage de résurrection du passé et d'analogie contemporaine, l'histoire non comme toile de fond mais comme drame. *Cromwell* est un texte théâtral révolutionnaire non pas tant par le viol des unités, assez modeste, mais par l'intervention du *grotesque*, un grotesque qui réside dans les événements autant que dans le discours. Quant à la *Préface*, elle va bien au-delà de ce que vient de faire Stendhal avec son *Racine et Shakespeare* (1825), accusant la tradition classique au nom du modernisme et de la vérité. Si elle eut une telle importance c'est que pour la première fois en France l'esthétique est l'objet d'une enquête historique. Ce que Hugo affirme c'est qu'il y a une évolution, une « histoire » de l'art. Hugo ne se contente pas dans sa *Préface* de montrer l'inactualité définitive des trois unités, le caractère périmé de la tragédie ou l'importance de l'histoire. Ce qu'il affirme c'est l'existence aux côtés de la culture officielle d'une *contre-culture*. C'est la culture du grotesque, populaire : elle n'a pas pignon sur rue, elle ne s'exhibe pas et n'est visible qu'à l'état de traces ; elle irrigue Shakespeare, elle a ses types propres : Falstaff, Don Quichotte, Sganarelle, Figaro. Ombres doublant les vrais héros, fruits d'une imagination qui « fait gambader Sganarelle autour de Don Juan et ramper Méphistophélès autour de Faust ». Hugo utilise Chateaubriand et son *Génie du christianisme* en en détournant la pensée. Le grotesque apporte pour Hugo au théâtre la possibilité d'unir par le drame le populaire et l'élevé, la comédie et la tragédie.

Cromwell n'est guère jouable. Hugo rêve d'une scène. Il est passionné de théâtre dès l'enfance ; à seize ans, il avait essayé tous les genres dramatiques de son temps : un mélodrame, *Le Château du Diable* (1812), une tragédie voltairienne, *Irtamène* (1817), la même année un vaudeville opéra-comique, *A.Q.C.H.B.* (A Quelque Chose Hasard est Bon) et pour finir un curieux petit drame, *Inès de Castro* (1818). En février 1828, Hugo porte à la scène une sorte d'adaptation du *Kenilworth* de Walter Scott, *Amy Robsart*, œuvre qui n'a rien de particulièrement original, sauf le rôle qu'il donne au petit comédien Flibbertiggibet ; il fait jouer la pièce sous le nom de son beau-frère Paul Foucher. C'est un désastre. Hugo courageusement se nomme et range la pièce dans un tiroir.

Au début de 1829, la situation du théâtre va peut-être changer : en février, Dumas fait jouer à la Comédie-Française *Henri III et sa Cour*. Un triomphe : c'est l'entrée du drame moderne sur les scènes officielles. Du coup, Hugo dans l'été 1829 écrit un drame, *Marion de Lorme*, inspiré à la fois par le style des comédies de Corneille et par l'idée d'une décadence de l'aristocratie et de la royauté. Le grotesque y est représenté par le bouffon L'Angély. La pièce est reçue sans discussion à la

Comédie-Française mais est immédiatement arrêtée par la censure. Hugo se défend, écrit au ministre de l'Intérieur Martignac, demande une entrevue ; le ministre lui reproche la figure déplorable que fait Louis XIII dans sa pièce : « Ce n'est pas l'heure d'exposer aux rires et aux insultes du public la personne royale. » Le poète demande audience au roi Charles X qui le reçoit courtoisement mais ne cède pas. On lui propose en compensation le triplement de sa pension. Le jour même, Hugo renvoie sa réponse : c'est un refus, d'une insolence courtoise ; il rappelle au premier ministre Polignac et au roi même, ces émigrés, qu'il est l'enfant des combattants de la Révolution et de l'Empire. « Mon père et mes deux oncles ont servi (l'État) quarante ans de leur épée. »

Hugo, furieux, se met à sa nouvelle pièce. On n'a pas le droit de parler de la royauté ? très bien, il parlera de l'Empire. On n'a pas le droit de parler de la faiblesse d'un roi ? il montrera la grandeur d'un empereur. Mais il est prudent de changer de lieu. Hugo choisit l'Espagne, non seulement parce qu'il la connaît dès l'enfance, que le bandit Hernani est peut-être un lointain cousin de cet Empecinado, guérillero que combattit son père, mais aussi parce que la dramaturgie du Siècle d'or est, avec Shakespeare, le modèle du drame romantique. L'éloignement dans le temps et dans l'espace va peut-être lui permettre de revenir à ce qui a été la réflexion de *Cromwell* : où trouver le lieu du pouvoir et de sa légitimité ?

Le 27 août, deux semaines après l'interdiction de *Marion*, il emprunte à la Bibliothèque Royale les quatre ouvrages sur l'Espagne au XVIe siècle dont il a besoin pour sa documentation. Le 29 août, il commence la rédaction de sa pièce qu'il termine le 24 septembre.

Hernani joué

Le 5 octobre 1829, Hugo lit sa pièce au Théâtre-Français qui la reçoit « par acclamation » ; autrement dit, il n'y a pas eu de vote. Le commissaire royal Taylor est favorable au « drame moderne » et les Comédiens-Français en ont assez de jouer devant des banquettes vides des tragédies anciennes et nouvelles dans des décorations éculées et avec des recettes de deux cents ou trois cents francs. *Hernani*, au moins, c'est du neuf. La pièce a la meilleure distribution possible ; en tête l'illustre Mlle Mars jouant doña Sol. Et la censure ? La censure laisse passer cette fois avec cet attendu curieux : « Il est bon que le public voie jusqu'à quel point d'égarement peut aller l'esprit humain affranchi de toute règle et de toute bienséance. » Il est clair que la censure attend une réaction hostile du public. C'est dans cet esprit qu'il faut comprendre les réclamations des comédiens, Mlle Mars en tête : ils demandent des modifications de détail qui s'ajoutent aux modifications exigées par la censure (par exemple la suppression du nom de Jésus et des injures adressées au roi). Mais quand Mlle Mars jure qu'elle ne veut pas dire « Vous êtes mon lion superbe et généreux », elle connaît son public et Hugo se soumet.

C'est donc un texte relativement édulcoré et tronqué, avec le monologue de don Carlos raccourci, qui sera présenté au public entre 1830 et 1867. Mais tel qu'il est, il est encore l'objet de la fameuse Bataille.

Thèmes et personnages

La fable d'Hernani

Acte I. — La scène se passe chez le seigneur Ruy Gomez de Silva. La date est précisée : Espagne, 1519. Un cavalier inconnu s'introduit chez lui et se cache dans une armoire, comme un cocu de comédie, avec la complicité d'une duègne. La jeune doña Sol, dix-sept ans, nièce et promise de Ruy Gomez, reçoit clandestinement son amoureux Hernani ; duo d'amour ; mais le cavalier inconnu sort de sa cachette ; les deux hommes se provoquent ; soudain, arrivée de Ruy Gomez ; scandale, mais le cavalier révèle son identité, c'est le roi don Carlos : il vient entretenir le vieux seigneur de la mort de l'empereur Maximilien et de sa propre candidature à l'empire. Le roi protège la fuite de ce mystérieux Hernani qui se révèle dans un monologue être l'ennemi du roi.

Acte II. — Le roi don Carlos, fou d'amour pour doña Sol, épie avec ses courtisans le logis de sa belle qu'il veut enlever : il a surpris le rendez-vous qu'elle a donné à Hernani. Enlèvement manqué : doña Sol se refuse et Hernani, avec ses compagnons les bandits, a intercepté les courtisans et la garde royale. Il rend la politesse de la veille au roi et à son tour protège sa fuite. Grande scène d'amour entre Hernani et doña Sol ; elle veut le suivre, il refuse : le jeu est trop dangereux. La scène est interrompue par le tocsin et les torches qui cherchent le bandit Hernani. Les amoureux échangent un baiser ; Hernani s'enfuit.

Acte III. — Hernani et ses compagnons ont été battus et massacrés. Il survient seul, déguisé en pèlerin, à la porte du château Silva, le jour même du mariage de doña Sol avec son oncle. Désespéré, il rejette son déguisement et se nomme, quoique sa tête soit mise à prix ; mais Ruy Gomez le tient pour son hôte et le protège. Scène d'amour entre Hernani et doña Sol : il comprend qu'elle lui reste fidèle prête à mourir après les noces. Ruy Gomez les surprend. Mais survient le roi qui réclame le bandit Hernani. Ruy Gomez refuse dans une scène éblouissante, la *scène des portraits* où, montrant les portraits de ses ancêtres, il jure qu'on ne dira pas de lui :

« Ce dernier [...]
Fut un traître et vendit la tête de son hôte ! »

Don Carlos emmène doña Sol à la place d'Hernani et ce dernier, après le départ du roi, s'offre à Ruy Gomez pour la vengeance. Il lui remet un signe : le cor qu'il porte à la ceinture et qui sera signal de mort pour Hernani quand le vieillard en décidera.

Acte IV. — Aix-la-Chapelle, le jour de l'élection de l'empereur. L'acte s'ouvre sur une scène collective entre don Carlos et ses courtisans. Resté seul, le roi se livre à une grande méditation sur le pouvoir et l'empire avant de pénétrer pour s'y recueillir dans le tombeau de Charlemagne. Pendant ce temps, un groupe de conjurés parmi lesquels Ruy Gomez et Hernani attend le roi pour le tuer. Mais on apprend soudain que don Carlos est élu empereur ; il démasque les conjurés, leur pardonne, unit doña Sol et Hernani qui révèle son identité : il est Jean d'Aragon, fils d'un homme exécuté par le précédent roi.

Acte V. — Fête de nuit au palais d'Aragon : c'est le mariage d'Hernani et de doña Sol. Scène collective des courtisans. Grand duo d'amour des mariés dans la nuit éclairée par la lune. Soudain, le son du cor ; apparaît Ruy Gomez ; Hernani veut obéir à l'ordre de mort ; doña Sol, après avoir supplié vainement le vieillard, boit sa part du poison ; les amants meurent dans les bras l'un de l'autre ; Ruy Gomez se donne la mort.

Les thèmes

Deux thèmes se partagent *Hernani*, l'individuel et le politique, absolument liés, tout le travail de la dramaturgie romantique, aussi bien chez Schiller et Kleist que chez Hugo ou Musset, étant de montrer le tressage entre les destinées individuelles et le sort de la collectivité : le bonheur d'Hernani et de doña Sol dépend non seulement du sort de l'État, mais aussi plus profondément de ce nœud d'idées et d'actions que l'on appelle proprement l'idéologie.

La légitimité

La question clef qui se pose dans *Hernani* est celle de l'ordre politique et social : quand s'est établie une sorte d'anarchie politique et morale à laquelle le roi même n'est pas étranger, quand le système des valeurs anciennes, celui par exemple de Ruy Gomez, a basculé, et qu'il apparaît non seulement désuet, proprement meurtrier, mais qu'on ne sait par quoi le remplacer, quand le pouvoir même du roi apparaît sans justification, il ne reste plus qu'à espérer qu'un autre ordre le remplacera : tel est le sens de l'utopie impériale, telle qu'elle apparaît dans le fameux monologue et dans tout l'acte IV : l'empereur appuyé sur le « peuple-océan ». Mais la pièce ne se termine pas sur cette victoire de l'empereur Charles Quint : le sort d'Hernani, le révolté, n'est pas résolu par la magnanimité de l'empereur. Dans cette lutte entre la légitimité et la liberté, entre l'ordre et la révolte, Hugo ne tranche pas ; l'issue morale de la bataille reste ouverte, même si une nouvelle légitimité s'est constituée et si la révolte succombe. On comprend pourquoi ce drame résolument non manichéen, continue à nous interroger, à nous demander notre réponse à nous.

L'amour fou

Ce qui ne fait pas de doute, c'est la valorisation de l'amour, considéré comme l'absolu, la mesure de toute chose. Ni Hernani, ni doña Sol n'envisagent un instant de renoncer à leur amour. Doña Sol choisit la vie errante avec le hors-la-loi Hernani plutôt que « d'être impératrice avec un empereur ». Forcée d'épouser Ruy Gomez, elle ne voit d'issue que dans le suicide ; elle vole le poignard de don Carlos quand il veut la forcer, et

menace de le tuer ; ce poignard pris à don Carlos est
jusqu'à la fin l'image du dernier recours. Hernani quand
il croit doña Sol infidèle, se dénonce et veut mourir ;
quand il la croit perdue, il livre sa vie à Ruy Gomez par
le pacte fatal. Don Carlos offrant la Toison d'or à Hernani pardonné (IV, 4) songe avec nostalgie :

« Mais tu l'as, le plus doux et le plus beau collier,
Celui que je n'ai pas, qui manque au rang suprême,
Les deux bras d'une femme aimée et qui vous aime !
Ah ! tu vas être heureux ; — moi, je suis empereur. »

Pour Ruy Gomez aussi, l'amour fou du vieillard sans
espoir est cette force absolue à laquelle il sacrifie le plus
élémentaire devoir moral, celui de laisser vivre les
jeunes époux. L'absolu du sacrifice comme l'absolu du
mal sont la rançon de l'amour fou que nul, pas même
les amoureux condamnés, ne s'avise de discuter.
Comme si seule la responsabilité du pouvoir impérial,
celle de don Carlos, et l'amour total qui marque les
trois autres personnages, permettaient d'échapper à un
univers de vénalité et de mesquinerie. Leçon que les
contemporains ont parfaitement entendue, et qui les a,
selon les cas, irrités ou transportés.

Les personnages

Don Carlos. Le roi don Carlos est représenté comme
un jeune seigneur cynique et gai, une sorte de don Juan
selon Molière, à qui tout est permis, dont les armes sont
le pouvoir, la force, la jeunesse ; mais une certaine
forme d'honneur féodal lui tient lieu de morale ; il n'hé-
site pas à faire enlever une fille qui lui plaît, il violente
les consciences, celle de Ruy Gomez par exemple, mais
il respecte les accords. Portrait de roi que l'on retrouvera
dans le théâtre de Hugo : François Ier dans *Le Roi
s'amuse* n'est pas très différent, quoique plus léger et
mesquin. Notons que le séducteur inconséquent ou cyni-

que n'a jamais la vedette chez Hugo, chantre de l'amour vrai.

La conquête du titre impérial et la conquête de doña Sol sont liées dans son vouloir. Il tient à l'une comme à l'autre ; mais s'il méprise profondément ses conseillers, il a une sorte de faiblesse pour Hernani ; par deux fois il le sauve ; il recommande que nul mal ne lui soit fait lors de l'enlèvement de doña Sol. Il y a chez lui comme une contradiction interne qui permet sa transformation, comme s'il respectait quelque part des valeurs qui ne sont jamais mises en évidence : le courage, la sincérité, l'amour, valeurs dont il n'ose faire cas ouvertement devant ses conseillers.

Et voilà que le roi léger se transforme. Il prend du « poids ». Une véritable conversion le métamorphose. Tout se passe comme si le pouvoir royal n'avait été pour lui que l'occasion des plaisirs ; mais la dignité impériale élective le contraint à la responsabilité totale de maître du monde. La métamorphose, semblable à celle qu'opère, dans *La vie est un songe* de Calderon, la victoire de Sigismond sur son propre père qui l'a torturé, conduit au même résultat : la volonté de pardon à qui l'a offensé mais aussi la renonciation au bonheur et le don de la femme aimée au rival. Après quoi, le roi don Carlos, devenu Charles Quint, disparaît de la scène et, dans la pièce, la part de la volonté et de la grâce s'estompe pour ne plus laisser apparaître qu'une malédiction dont l'empereur ne porte pas la responsabilité.

Admirable personnage, très complexe avec ce mélange de courage et de perfidie, de jeunesse et de ruse, que presque tous les interprètes ont manqué* faute de savoir exécuter sa transformation singulière. Justifiée par l'histoire et par ce qu'on sait de Charles Quint, elle illustre le

---

* A l'exception du dernier, Redjep Mitrovitsa, qui, dans la mise en scène de Vitez, a donné du roi et de sa métamorphose une image bouleversante (1984-1985).

sens profond qu'avait Hugo d'une *psychologie de la conversion*, c'est-à-dire de l'inexplicable, de ce qui ne saurait se ramener aux motivations habituelles et raisonnables.

Ruy Gomez de Silva. Personnage difficile lui aussi parce que la tentation est grande de le sacrifier ; il ne peut être le personnage sympathique, puisqu'il est celui par lequel provient la mort des amants : il en est la cause et l'origine. D'autant moins sympathique qu'il représente le passé, les vieilles coutumes, les vieux préjugés, la vieille noblesse, toutes les vieilleries dont la jeunesse de 1830 pouvait penser que la Révolution française avait fait litière. Et voici que le mort saisit le vif, que la statue du Commandeur condamne « l'homme de liberté ». Quand don Carlos vient lui annoncer la mort de Maximilien, c'est en termes passéistes qu'il fait l'éloge funèbre du vieil empereur.

Mais il serait faux de dire qu'il représente le mal s'il est bien l'incarnation du malheur : les forces de nuit dont il est le chantre et le garant le dépassent de toute part. Et de toute manière, elles ont leur volet de lumière : à Ruy Gomez l'honneur, la fidélité aux grandes valeurs du passé et peut-être plus encore la puissance irrésistible de l'amour ou pour mieux dire de la passion. Criminel, puisqu'il provoque en toute conscience la mort des amoureux jeunes et beaux, il est en même temps digne de compassion dans la mesure où il est laissé pour compte par l'histoire et par la vie : sa conspiration comme son amour sont des échecs.

Personnage ambigu, rendu extrêmement vivant par sa rigueur morale, il appartient à un certain type de personnage tragique illustré par Corneille dans *Sertorius* ou dans *Pulchérie*, « le vieillard amoureux ». C'est en ce sens qu'il sécrète le pathétique : toute la scène 1 de l'acte III est le chant lyrique de l'amour du vieillard, sans espoir et sans réciprocité.

Doña Sol. Doña Sol est la Dame-Soleil. Objet-lumière du désir de tous, tel est le sens exact de son nom. Que sa beauté puisse inspirer tous les désirs, c'est ce qui n'échappe à personne : les courtisans pensent que don Carlos a eu bien tort de ne pas s'en emparer et de ne pas avoir donné « lit de pierre au galant, lit de plume à la dame » (V, 1). Elle peut apparaître la belle jeune fille de toutes les œuvres de fiction, l'objet idéal un peu abstrait de toute passion romantique.

Mais le personnage évite la fadeur par un certain nombre d'étrangetés : l'acceptation totale de l'amour sans considération des conséquences ; elle n'a aucune peur de la mort, de la violence, ou même du viol. A la lettre elle ne les voit pas. Mais on remarque aussi chez elle, comme chez Hernani, une sorte de passivité qui lui fait accepter le mariage avec son oncle quand elle croit Hernani mort et la mort par le suicide qui est le corollaire de ces noces : autant que la fille-soleil, elle est la fille au poignard, contre elle-même ou contre qui veut la forcer, ce poignard qu'elle a pris au roi Carlos et qu'elle garde contre tous, au besoin contre lui ; mais le poignard lui tombe des mains quand il faudrait qu'elle l'utilise réellement contre Ruy Gomez. Le moment le plus étrange de son comportement est la violence qu'elle met à défendre Hernani (« Contre vous, contre tous, duc, je le défendrai ») — et son effondrement final, comme si elle s'apercevait tout à coup qu'elle ne peut pas le défendre malgré lui, qu'elle ne peut que mourir avec lui.

Pour le spectateur, l'un des traits frappants du personnage est sa solitude : elle est la seule femme de la pièce ; elle n'a ni parente, ni amie, ni rivale, ni même confidente, seulement une duègne passablement stupide. Solitude de l'orpheline, solitude de l'amoureuse ; elle n'a ni monologue, ni discours de confidences : une sorte de mystère l'entoure jusqu'au bout.

Hernani. On peut tenir Hernani pour l'exemple même

du héros romantique. Jeune, beau, fatal, inconscient dans la violence de sa révolte. Quelque part, il ressemble à Karl le « Brigand » de Schiller *(Les Brigands)*. Comme lui il est pris entre un amour impossible et la malédiction familiale. On a beaucoup glosé sur le mot qu'il prononce devant doña Sol, acte III, scène 4 : « Je suis une force qui va », en oubliant le contexte qui est celui de la malédiction venue d'un père assassiné. Courageux, violent, amoureux, prêt à tout pour sa vengeance ou pour sa dame, il ressemble à un héros classique de roman de cape et d'épée ou de western. Mais il faut se méfier avec Hugo, ses personnages ne sont jamais simples. Il y a dans le personnage d'Hernani une sorte de faiblesse, de défaillance intime comme s'il n'était pas maître de lui-même et de son avenir. Certes, à partir du moment où ses compagnons sont morts, il se sent et se sait voué au malheur : « J'ai pris vos meilleurs fils ; pour mes droits, sans remords / Je les ai fait combattre, et voilà qu'ils sont morts ! » (acte III, scène 4). Et il ajoute à l'intention de doña Sol :

> « C'est un démon redoutable, te dis-je,
> Que le mien. Mon bonheur, voilà le seul prodige
> Qui lui soit impossible. Et toi, c'est le bonheur ! »

Mais la pulsion suicidaire d'Hernani est sensible dès l'acte I, dans la façon dont il provoque don Carlos, dans la manière dont, à l'acte II, quand tous le cherchent pour le tuer, il se recouche sur son banc et dit à doña Sol : « Nous aurons une noce aux flambeaux ! », ajoutant : « Rendormons-nous ! » Autre mouvement suicidaire à l'acte III quand il arrache son déguisement et crie : « Je suis Hernani ! » alors qu'il sait sa tête mise à prix « mille carolus d'or ». Chaque acte est donc ponctué par un mouvement de mort. A la fin, c'est volontairement qu'il accepte de mourir, obéissant à un serment apparemment frivole ; mais on imagine ce que peut être le sentiment de culpabilité de l'homme qui a vu mourir tous ses compagnons engagés dans la lutte par et pour lui, de l'homme qui a promis à son père assassiné de le venger, et qui tout à coup, au faîte du bonheur amoureux, de la réussite où il a été projeté par son pire ennemi, passe de la révolte radicale à l'acceptation des honneurs et voit soudain se dresser en face de lui le fantôme vivant d'un passé qui le condamne. Il ne s'y trompe pas ; voyant Ruy Gomez il s'écrie : « Mon père, tu te venges / Sur moi qui t'oubliais ! » Ce qui le condamne en définitive, ce n'est pas Ruy Gomez, c'est lui-même, c'est sa propre exigence morale qui lui tend ce miroir du bonheur où il ne peut accepter de se voir. Invraisemblance peut-être, mais ici, comme en tant de grands textes de théâtre, c'est l'invraisemblable et l'opaque qui sont les signes de la plus haute vérité.

Psychologie de Hugo

On a accusé le drame romantique et plus particulièrement le drame de Hugo de manquer de psychologie, oubliant que paraît sommaire toute psychologie qui n'obéit pas aux règles et aux codes habituels. Ce qu'accepte Hugo c'est la non-concordance du personnage avec lui-même, sa non-cohérence, sa « duplicité », autrement dit son caractère double, ses contradictions internes. Ce que Hugo montre, c'est la présence dans l'âme des personnages de tout ce qui n'est pas leur conscience individuelle : leur milieu, leur lutte, leurs compagnons, leur passé, l'existence aussi des lois du monde, de l'histoire, de la société plus forte que le vouloir des individus. La présence du masque et du déguisement n'est que l'image de tous les obstacles qui séparent un être de lui-même.

Ce qu'il y a de plus neuf dans la psychologie de Hugo c'est qu'elle n'est plus une psychologie des caractères et des passions mais, déjà en avance sur le XXe siècle, une psychologie des pulsions, de ces pulsions qui n'ont pas

de justification rationnelle ; la violence de la pulsion
amoureuse comme la pulsion de mort qui dominent les
trois destins d'Hernani, de doña Sol, de Ruy Gomez.

Le travail de l'écrivain

Il n'est pas difficile de voir que la grande révolution
romantique, au théâtre, c'est celle de l'écriture, bien plus
que celle de la structure dramaturgique. Il s'agit d'une
révolution poétique, qui touche d'abord l'instrument,
l'alexandrin, ensuite le mode d'échange, enfin le mode
d'écriture, proprement lyrique.

L'alexandrin

La première tâche d'écrivain de Hugo c'est à la fois de
maintenir l'alexandrin et de le libérer. Le maintenir
puisque si le drame est « un point d'optique », comme il
est dit dans la *Préface de Cromwell*, le vers sera la len-
tille qui permettra de condenser le drame, mais aussi de
l'éloigner de toute vulgarité : maintenir l'alexandrin,
pour Hugo, c'est maintenir les droits de la poésie au
théâtre, les droits de l'art contre un goût bourgeois
enragé, contre la platitude et la mesquinerie.

Mais quel alexandrin ? Le vers pseudo-classique est
un instrument sclérosé par la césure obligatoire et surtout par la coïncidence de la syntaxe et de la prosodie ;
donc il faut garder sa force mais le libérer. Pour Hugo le
vers est « une forme de bronze qui encadre la pensée
dans son mètre, sous laquelle le drame est indestructi-
ble », mais il faut un alexandrin nouveau « sachant briser à propos et déplacer la césure pour déguiser sa
monotonie d'alexandrin, plus ami de l'enjambement qui
l'allonge que de l'inversion qui l'embrouille (...) inépui-
sable dans la variété de ses tours, insaisissable dans ses

secrets d'élégance et de facture» *(Préface de Cromwell)*.

De là, dans *Hernani*, la distribution des vers entre
plusieurs personnages; on n'entend plus alors la présence du vers que par celle de la rime; de là tels rejets
provocateurs comme le fameux «escalier Dérobé» qui
adorne les deux premiers vers de la pièce, mais ne fit
aucun scandale parce que les spectateurs ne l'entendirent
pas, pas plus qu'ils n'entendirent, quelques répliques
plus loin, cet alexandrin étrangement distribué :

> «Oui.
>   Cache-moi céans!
>   Vous!
>   Moi.
>   Pourquoi?
>   Pour rien.»

Mais le plus décisif c'est l'assouplissement du vers, la
distribution différente des accents, les enjambements et
l'effacement relatif ou absolu de la césure que l'on
trouve par exemple dans la réplique de doña Sol
(I, 2) :

1 Hernani, n'allez pas sur mon audace étrange
2 Me blâmer. Êtes-vous mon démon ou mon ange?
3 Je ne sáis. / Mais je suis votre escláve. / Écoutéz.
4 Allez où vous voudrez, j'irai. Restez, partez,
5 Je suis à vóus. / Pourquoi fais-je ainsí? / je l'ignóre.
6 J'ai besoin de vous voir et de vous voir encore
7 Et de vous voir toujours. Quand le bruit de vos pas
8 S'efface, alors je crois que mon cœur ne bat pas,
9 Vous me manquéz, / je suis absénte / de moi-méme;
10 Mais dès qu'enfin ce pas que j'attends et que j'aime
11 Vient frapper mon oreille, alors il me souvient
12 Que je vís, / et je sens mon áme / qui reviént!

Rejets aux v. 1-2, 7-8, 11-12, enjambement entre les
v. 6 et 7 et surtout présence du vers ternaire, le célèbre

alexandrin romantique caractérisé par l'existence de
trois accents principaux au lieu des quatre accents de
l'alexandrin classique ; vers ternaires le v. 9 et le v. 12,
mais aux vers 3 et 5, le relatif effacement de la césure
produit le même effet d'alexandrin romantique. Un vers
ternaire célèbre :

« Je suis banni ! je suis proscrit ! je suis funeste ! » (II, 4)

On voit comment l'assouplissement, et proprement la
régénération de l'alexandrin permettent au poète dramatique de suivre musicalement les mouvements de la sen-
sibilité et l'expressivité des échanges verbaux. L'importance de la rime s'accroît quand le rythme s'assouplit.

Une écriture provocatrice

Provocatrice d'abord par les *ruptures de ton*: elles sont
l'un des traits saillants de l'écriture théâtrale de Hugo
qui ne craint pas de juxtaposer l'exaltation lyrique et
les formulations les plus pédestres. Ainsi Hernani
s'exalte :

« Ange ! une heure avec vous ! une heure, en vérité,
A qui voudrait la vie, et puis l'éternité ! »

Mais doña Sol interroge : « Dites-moi / Si vous avez
froid ? » et dit à la duègne : « Josefa, fais sécher le manteau ». Non qu'elle ne soit à la même hauteur d'amour
(la réplique que nous venons de citer le prouve) mais
c'est que la passion amoureuse s'inscrit dans le contexte
de la vie quotidienne et non dans les sphères idéales ; le
duo d'amour est brusquement interrompu par don Carlos sautant de son placard comme un pantin. A la scène
suivante les condoléances compassées de Ruy Gomez
ont pour contrepoint les supputations prosaïquement
politiques de don Carlos comptant les voix pour son
élection. La grossièreté des courtisans (V, 1) accompagne en sourdine les noces exaltées d'Hernani et de doña

Sol. L'intensité héroïque de la scène des portraits est ponctuée par les plaisanteries de don Carlos sur la tête chauve de Ruy Gomez :

« Le bourreau la prendrait par les cheveux en vain.
Tu n'en as pas assez pour lui remplir la main ! »

et Ruy Gomez réplique :

« La tête d'un Silva, vous êtes dégoûté ! »

Autre provocation : l'usage du *mot propre*. On sait que l'une des tâches de la révolution romantique est de donner droit de cité à tous les mots en récusant la vieille périphrase pseudo-classique.

Bien plus tard, Hugo s'écriera (*Contemplations*, « Réponse à un acte d'accusation ») :

« J'ai mis un bonnet rouge au vieux dictionnaire...
Plus de mot roturier, plus de mot sénateur [...]
J'ai dit au long fruit d'or : mais tu n'es qu'une poire ! »

Cette « démocratisation » du langage paraît aujourd'hui à peine perceptible. Mais des formules aussi simples que « Je vois l'échafaud de trop près » apparaissaient subversives. Casimir Delavigne nommait sans rire le fiacre un « char numéroté », mais Hugo dès la première scène parle d'*escalier*, d'*écurie*, de *manche à balai*, de *barbe* et de *moustache*, plates réalités matérielles qui n'ont pas leur place à l'époque dans un drame « élevé ». De même le vocabulaire archaïque et les termes techniques, fussent-ils militaires comme *mousquet* ou *harnais*, les termes étrangers, comme *alcade* ou *alguazil*, apparaissent incongrus sur la première scène de la monarchie. Et que dire des plaisanteries et des jeux de mots ? Don Carlos rappelle que doña Sol accueille « le jeune amant sans barbe à la barbe du vieux ». Hernani s'écrie : « Oui, de ta suite, ô roi ! de ta suite ! — j'en suis » et le jeu de mot innocent fait scandale. Hugo n'a

pas peur de l'humour noir : doña Sol à la dernière
scène :

« Devions-nous pas dormir ensemble cette nuit ?
Qu'importe dans quel lit ! »

Et Hernani menace don Carlos avec une métaphore
hardie :

J'écraserais dans l'œuf ton aigle impériale !

Les courtisans sont traités par Hernani de « chiens de
cour » et par don Carlos (IV, 1) de « basse-cour » à qui
le roi « émiette la grandeur » comme du pain aux
poules.

Hugo n'a peur ni des mots ni des réalités, pas plus de
la mort que de l'amour. Les mots *hache* et *échafaud*
jalonnent le dialogue ; aux scènes 1 et 2 de l'acte V, les
courtisans évoquent sans la moindre pudeur, l'un sa destinée de maquereau et d'entremetteur : « J'ai fait ma
fortune à voir faire l'amour », l'autre les plaisirs de la
nuit de noces : « Qu'il va se passer là de gracieuses
choses ! » Enfin la présence du désir et de l'amour physique n'est jamais dévalorisée, et ce n'est pas l'une des
moindres audaces de la pièce.

L'échange verbal

Les modes de l'énonciation et de l'échange verbal sont
aussi peu conformes aux habitudes classiques : ainsi
Hugo n'aura jamais peur des énormes tirades ou mono-
logues (ce que les gens de théâtre appellent des « tun-
nels », et que seul Corneille osait parfois : *Cinna, Rodo-
gune*) ; l'immense monologue de don Carlos à l'acte IV,
fut au XIXe siècle fort raccourci pour les besoins de la
scène.

Plus insolite encore et plus neuve la présence de *scènes à multiples personnages*, relativement peu indivi-

dualisés et représentant un groupe humain : ici ce sont les courtisans de don Carlos qui ouvrent trois actes : le II, le IV et le V, avec des scènes de conversations, tout à fait curieuses, sur le modèle (singulièrement aggravé) de la première scène de *Tartuffe* ; là encore une sorte de familiarité s'introduit dans la gravité tragique et l'alexandrin est particulièrement brisé, éclaté entre plusieurs interlocuteurs.

A quoi s'opposent, en contraste, les duos d'amour, ces duos d'amour partagé uniques dans notre langue par la puissance de leur lyrisme et leur caractère peu conflictuel.

L'un des caractères les plus étranges de l'échange verbal chez Hugo est sa relative inefficacité. Hugo n'a pas peur de montrer un trait particulier de la parole, son *fonctionnement dérisoire* : tout le monde supplie tout le monde et personne ne veut entendre, jusques et y compris dans les échanges dramatiques de la dernière scène, où la parole est parole de mort. Un exemple amusant : le dialogue de sourds (I, 3) entre don Carlos et Ruy Gomez). Seule la parole du *contrat* est efficace, tragiquement.

Lyrisme

L'un des traits fondamentaux de l'écriture de Hugo principalement dans *Hernani* c'est le lyrisme, c'est-à-dire le moment où le langage s'émancipe de sa fonction immédiate d'échange, déterminant une sorte de pause dans l'action ; dans le moment lyrique l'accent est mis sur le personnage qui parle (le locuteur) et sur la *fonction expressive* du langage : emploi de la première personne quand il s'agit d'un duo d'amour, aussi de la première personne du pluriel ; expression non tant du sentiment des personnages que des grandes forces qui les traversent, l'amour et la mort, dans leurs rapports avec les éléments naturels, avec l'ensemble du cosmos. Ainsi

dans les incomparables duos d'amour du dernier acte
(v. 1951-1960) :

Doña Sol :

« Tout s'est éteint, flambeaux et musique de fête.
Rien que la nuit et nous ! Félicité parfaite ! [...]
La lune est seule aux cieux, qui comme nous repose,
Et respire avec nous l'air embaumé de rose !
Regarde : plus de feux, plus de bruit. Tout se tait.
La lune tout à l'heure à l'horizon montait,
Tandis que tu parlais, sa lumière qui tremble
Et ta voix, toutes deux m'allaient au cœur ensemble. »

Poésie aussi, d'un ordre différent, avec une coloration
épique, par exemple dans le monologue de don Carlos
(IV, 2), où le mouvement du discours est celui d'une
description du monde, ici par exemple d'éléments subal-
ternes et dérisoires attendant l'assomption d'une souve-
raineté plus haute :

« Ô ciel ! être ce qui commence !
Seul, debout, au plus haut de la spirale immense !
D'une foule d'États l'un sur l'autre étagés
Être la clef de voûte, et voir sous soi rangés
Les rois, et sur leur tête essuyer ses sandales ;
Voir au-dessous des rois les maisons féodales,
Margraves, cardinaux, doges, ducs à fleurons ;
Puis évêques, abbés, chefs de clans, hauts barons ;
Puis clercs et soldats ; puis, loin du faîte où nous sommes,
Dans l'ombre, tout au fond de l'abîme, — les hommes. »

Dans la poésie dramatique de Hugo les éléments du
monde jouent le premier rôle, lyrisme terrestre, compa-
raisons ou métaphores empruntées à la nature ou aux
éléments concrets de la vie humaine. Métonymies
comme l'étonnant couplet où Hernani raconte comment
il redevient don Juan d'Aragon :

« Voici que je reviens à mon palais en deuil. [...]
J'entre, et remets debout les colonnes brisées,
Je rallume le feu, je rouvre les croisées,
Je fais arracher l'herbe au pavé de la cour. »

Poésie *dramatique*, parce que perpétuellement en prise directe sur l'action : le grand mouvement épique du monologue de don Carlos ouvre sur la métamorphose du roi en empereur ; le lyrisme du duo d'amour du V ouvre la porte à la mort d'amour qui en est à la fois l'opposition et la résolution. C'est ce lyrisme de l'amour et de la mort qui est le moteur du dernier acte, qui en a toujours assuré l'efficacité proprement dramatique et d'abord parce qu'il est lié à la *force pathétique* de la situation.

Lyrisme dramatique, parce que lié à des images scéniques : les torches cherchent le bandit Hernani (II, 4) : « Fuis ! [...] Saragosse s'allume ! » ; la lune et les étoiles éclairent le jardin enchanté de la mort d'amour : « Vois-tu des feux dans l'ombre ? » demande Hernani mourant. Le lyrisme amoureux n'est pas seul ; les autres personnages ont leur mode propre d'expression lyrique : *lyrisme passéiste, épique* de Ruy Gomez, énumération des exploits d'un monde révolu, dans la scène des portraits. *Lyrisme totalisant* de don Carlos, vaste image de Babel, pyramide de la planète sociale, du peuple-océan, lyrisme lié pathétiquement au frémissement d'angoisse devant le pouvoir absolu et l'ombre de Charlemagne. Poésie perpétuellement liée à deux éléments essentiels, la *présence de la mort* et la *présence du concret*.

Dramaturgie

On attendait *Hernani* avec curiosité : comment la dramaturgie romantique allait-elle régler leur compte aux trois unités ? En fait, la révolution n'était guère plus

profonde que celle qu'avait déjà faite un Casimir Delavigne.

Les unités

Il est vrai qu'il s'écoule un jour entre l'acte I et
l'acte II, quelques jours entre le II et le III, un peu plus
de temps sans doute entre le III et le IV comme entre le
IV et le V : une *durée* étirée mais somme toute régulie-
rement espacée et logiquement acceptable ; les spectateurs ne semblent guère s'être aperçus de cette transgres-
sion-là.

Unité de lieu ? Les trois premiers actes se passent en
divers endroits de deux châteaux Silva ; c'est une unité
de lieu juste un peu forcée et ce n'est pas pire que chez
Corneille dans *Le Cid* ou *Sertorius*. Mais voilà qu'on
saute d'Espagne en Allemagne : le IV est à Aix-la-Chapelle et pour le V on retourne en Espagne mais dans un
lieu nouveau, au palais d'Aragon ; les deux derniers
changements de lieu sont l'occasion de somptueux
décors.

Les choses sont probablement plus compliquées qu'il
n'y paraît : l'espace n'est pas seulement spectaculaire, il
est capital pour l'action et il suppose toute une présence
évocatrice du hors-scène : le tombeau de Charlemagne
par exemple, invisible, lieu de la conversion-transfigura-
tion de don Carlos en Charles Quint. En fait, ce qui
apparaît ici c'est une scénographie non tant de drame
historique que de drame ou de comédie *bourgeois* dont
le modèle est Beaumarchais : la structure même du lieu
est indispensable au déroulement de l'action et en est
inséparable ; l'espace du II est un espace « machiné »
tout juste fait pour que don Carlos puisse espionner et
enlever doña Sol ; le décor du IV avec le tombeau de
Charlemagne est lié à l'entrée de don Carlos dans le
sépulcre. Bien loin du corridor tragique, nous sommes
dans un espace proprement actif.

On a accusé *Hernani* de ne pas respecter *l'unité d'action* ; on lui a reproché de faire à la fin du IV un faux dénouement qui ne dénoue rien ; après quoi, au V, l'histoire du roi et de son conflit avec Hernani est terminée ; ce qui continue et se renouvelle c'est le conflit entre Ruy Gomez et Hernani ; or, c'est *le même conflit*, la jeunesse contre l'ordre établi, la liberté contre la contrainte, la révolte contre le pouvoir ; et la pièce ne porte pas pour rien le nom d'Hernani ; la mort des amants est bien la clôture logique de l'action.

Mais ce qui est frappant c'est le caractère *répétitif* de l'action, oscillant entre la récurrence et le progrès. Chacun des actes est marqué du même mouvement, un duo d'amour qui se termine par une terrible menace ouvrant à chaque fois pour le héros Hernani la même pulsion suicidaire : particulièrement remarquable le réflexe d'Hernani au II qui lui fait refuser au départ de s'enfuir quand on le cherche et accepter avec doña Sol « la noce des morts ! la noce des tombeaux ! » (II, 4). Ce moment est comme l'amorce et la préfiguration de la mort finale des amants. Au III et au IV, c'est le double mouvement, provocateur, de la nomination : « Je suis Hernani », crie-t-il quand on a mis sa tête à prix « mille carolus d'or » ; et au IV, scène 4, Hernani, que l'on néglige au milieu des conjurés obscurs, réclame la mort en criant « Je suis Jean d'Aragon ».

Enfin avec la fameuse scène des portraits, mais déjà avec la scène 3 de l'acte I, Hugo inaugure l'une des structures typiques de sa dramaturgie, la grande scène énumérative : énumération des conditions politiques de l'élection impériale (I, 3), énumération des portraits d'ancêtres qui cautionnent l'honneur de Ruy Gomez (III, 6). Dans tous ces cas de *récurrence* c'est la volonté d'épuiser si l'on peut dire musicalement la force d'une situation. Structure qui ressemble quelque part à une structure d'opéra.

Dramaturgie grotesque

Le grotesque est le rapport immédiat non pas du tragique et du comique mais du rire et de la mort intimement liés ; le grotesque, lié comme on le voit dans la *Préface* de *Cromwell* à une contre-culture populaire parallèle à la culture officielle, a par nature quelque chose de subversif. Ce qui a paru vraiment contestataire par rapport à la dramaturgie classique, c'est le rôle, normalement dévolu aux comédies, des cachettes et des déguisements. La pièce s'ouvre sur une situation de comédie : deux galants clandestins et rivaux chez le vieillard jaloux. C'est le roi don Carlos qui se cache dans un placard comme un cocu de Molière pour surprendre sa belle en compagnie de son amoureux — et qui n'entend, ridiculement, que la moitié des discours. C'est lui qui guette comme un valet de comédie ou un quelconque don Juan, la sortie de celle qu'il convoite, prête à un rendez-vous avec un autre. C'est le héros Hernani que l'on enferme dans un placard au III, ou que l'on démasque au IV. Le roi est déguisé à l'acte II, Hernani à l'acte III, Ruy Gomez à l'acte V. Une mascarade et un bal accompagnent les noces mortelles du V. Et chaque fois cachettes et déguisements ponctuent non pas une pause comique dans l'action, mais le moment intensément dramatique, celui du danger mortel. Un comique sinistre s'attache aux figures des courtisans lâches et cruels : à l'acte II don Ricardo conseille au roi de « dénicher la colombe en tuant le vautour » ; c'est le même qui explique (V, 1) « moi, j'ai fait ma fortune à voir faire l'amour ». Tout un travail de la dérision touche non seulement les courtisans mais le roi, auquel doña Sol n'épargne pas les injures, et même les cheveux blancs de Ruy Gomez qu'Hernani ne craint pas d'interpeller « vieillard stupide* ».

---

* Un soir de 1830, classiques et romantiques crurent entendre « vieil as de pique » et ne s'en étonnèrent même pas : ils rompirent des lances pour et contre cette formule.

La confrontation physique du roi et du bandit, la mutation brusque de la figure du souverain, la dérision qui s'attache subrepticement à l'âge, à la figure royale, aux images du passé, les déguisements et les masques, autant d'éléments d'une sorte de *carnavalisation du monde* liée à la dramaturgie grotesque.

La compassion

Si les ressorts de la tragédie sont depuis Aristote la *terreur* et la *pitié*, il y a quelque chose de nouveau dans les ressorts du drame de Hugo. Cette nouveauté, c'est la *compassion*, c'est-à-dire un rapport du spectateur au personnage qui n'est à proprement parler ni l'identification, ni la pitié, mais qui est une sympathie à hauteur d'homme, dans une perspective d'égalité, non de jugement.

Tel est le pathétique de Hugo dans *Hernani*; il ne nous permet ni de juger ni de condamner ses personnages, — ni non plus de nous identifier à eux, mais de faire corps avec leur souffrance. Le pathétique hugolien de la compassion s'attache autant à Ruy Gomez dans son atroce douleur de vieil homme abandonné qu'au renoncement à l'amour de don Carlos ou à la mort des amants. C'est cette note qui donne à *Hernani* son ton inimitable, — irrésistible.

L'œuvre et son public

La bataille d'Hernani

C'est au terme de cette analyse que l'on peut mieux comprendre le sens de cette bataille d'*Hernani* dont l'enjeu est plus esthétique et idéologique que proprement politique. Hugo ne prône aucune révolution et il est clair pour tous que la présence d'une figure impériale n'implique aucun bonapartisme. Mais les légitimistes hon-

nissent Hugo qui fut des leurs et les a quittés et les libé-
raux ne veulent rien de ce qu'il veut.

Prémices

Hugo est averti qu'une cabale se dessine dans les
salons et dans la presse : le censeur Brifaut, au mépris
de ses devoirs, puisqu'il a eu le manuscrit entre les
mains, fait des gorges chaudes, avant la représentation,
de citations tronquées et déformées. Hugo se défend. Il
exige de l'administrateur de la Comédie-Française, le
baron Taylor, un certain nombre d'invitations. Aucune
pièce ne peut, au XIXe siècle, réussir sans la « claque »
(individus payés pour applaudir la pièce et expulser les
perturbateurs). Hugo ne veut pas de la « claque », trop
fidèle à ses clients habituels, les auteurs classiques. Il
rassemble non seulement ses amis écrivains et poètes
mais les artistes, peintres et sculpteurs : ce qui est en jeu
c'est la liberté de l'art et personne ne s'y trompe, liberté
de l'art en face de la censure mais aussi des préjugés, des
habitudes, des convenances, de tout ce que Hugo appel-
lera plus tard « la censure littéraire ».

La bataille

On sait ce que fut cette fameuse bataille : les ateliers
d'artistes furent mobilisés ; des hordes chevelues et bar-
bues, l'un d'eux vêtu d'un pourpoint de soie rose vif (le
fameux gilet rouge de Théophile Gautier), scandaleux en
ces temps d'habits noirs et de visages glabres, envahirent
des heures d'avance, sur la consigne de l'administration,
les gradins du théâtre où ils furent enfermés. Ils burent,
mangèrent... et pissèrent, « les lieux » étant restés clos.
Après quoi, ils luttèrent, défendant énergiquement la
pièce.

La première représentation (25 février 1830) fut un
grand succès : les comédiens étaient à la hauteur, les

dix-sept ans de doña Sol furent joués sublimement par les cinquante ans sveltes et fringants de Mlle Mars ; le cinquième acte émut et enthousiasma.

Dès la deuxième représentation, les classiques se ressaisirent : ce fut une bataille quotidienne pendant les trente-neuf représentations de 1830 — à l'exception d'une seule qui, demandée par les élèves des lycées, se déroula dans la paix la plus parfaite. Le journal de l'acteur Joanny raconte cette épopée : « Coups de poing, interruptions [...], cris [...], bravos [...], tumulte [...] » (1er mars 1830).

Les jeunes artistes défendirent la pièce jusqu'au bout, sans faiblir. Certains vinrent à toutes les représentations. Mlle Mars fut héroïque, impavide. Il y avait foule ; la pièce faisait des recettes brillantes alors que la Comédie-Française était d'ordinaire le théâtre des salles vides.

L'accueil

On se demande encore pourquoi ce tollé. Évidemment « on entendit un roi dire : quelle heure est-il ? » mais le cas n'est pas pendable. On a vu que les audaces dramaturgiques n'étaient pas excessives. Plus étonnant encore, Armand Carrel, chef du parti libéral (c'est le parti de la bourgeoisie d'affaires, mais aussi l'adversaire de la royauté légitimiste) écrit dans son journal *Le National* quatre articles contre *Hernani*. Imaginons aujourd'hui le responsable d'un grand parti politique tonnant quatre fois contre une nouvelle pièce ! Et ce que dit Armand Carrel est bien intéressant. Il attaque l'idée même de liberté dans l'art. « Que tout le monde se soit ému, il y a quarante ans, pour obtenir des libertés qui devaient être à l'usage de tout le monde, à la bonne heure ; et il n'est personne, du moins aujourd'hui, qui, pour sa part, n'ait gagné à ce qu'il n'y ait plus de dîmes, de corvées, de droits féodaux, de Châtelet, de Bastille, de lettres de cachet, de lit de justice. Chacun va, vient, à peu près comme bon lui semble ; écrit, lit, pense, croit ou ne croit pas, selon qu'il lui plaît, et rien de cela ne se pouvait sous l'Ancien Régime. Mais qu'est-ce que la liberté dans l'art, la révolution dans les formes littéraires ajouteront à la liberté et au bien-être de chacun ? »

Armand Carrel va plus loin. Pour lui, le seul théâtre pour le peuple, c'est le mélodrame ; il n'a pas besoin de mieux. L'idée va loin : on voit ce qui est reproché à Hugo ; qu'il tente de faire un grand art théâtral qui serait aussi un théâtre pour tous, un vrai « théâtre national populaire » avant la lettre, ce dont *Hernani* pouvait être l'aurore et que Hugo ne réussit jamais.

Bataille gagnée, bataille perdue ? Gagnée, sans nul doute : on siffle, mais on vient ; les pièces de Hugo ne se joueront jamais devant des salles vides ; *Hernani* triomphera. Mais perdue aussi : on flaire l'irrespect de Hugo devant les valeurs établies, l'âge, la royauté, le pouvoir, et sa haine de toute oppression ; des générations de critiques, de professeurs, et même d'hommes de théâtre égrènent les mêmes griefs : effets faciles, psychologie sommaire.

En tout cas, si *Hernani* n'est pas vaincu en 1830, si victoire il y a, c'est une victoire collective, celle d'une génération d'artistes ; plusieurs années plus tard, Hugo dira : « Sans mes amis, la pièce serait tombée, c'est à eux, à leur courage, à leur persistance que je dois le succès d'*Hernani*. C'est eux qui m'ont ouvert ma carrière dramatique. » Et quelques jours avant de mourir, Théophile Gautier écrira (octobre 1872) : « Nos poésies, nos articles, nos livres seront oubliés ; mais on se souviendra de notre gilet rouge. Cette étincelle se verra encore lorsque tout ce qui nous concerne sera depuis longtemps éteint dans la nuit. » A la bataille d'*Hernani* quelque chose s'est passé.

Représentations

La reprise de 1838, quoiqu'elle eût été obtenue à la suite d'un procès que Hugo fit à la Comédie, pour faire respecter son contrat (1837), fut un succès à peine disputé : Marie Dorval succédant à Mlle Mars imposa son image de doña Sol. Les reprises jusqu'à l'Empire furent toujours paisibles et glorieuses. Vint le règne de Louis-Napoléon Bonaparte : le théâtre de Hugo, adversaire du régime et exilé, est interdit dans son ensemble ; en 1867, cependant, le pouvoir impérial fait un geste : l'impératrice réclame *Hernani* dont Hugo autorise la reprise, et c'est un triomphe : 71 représentations dans la seule année 1867 ; le texte était depuis le début joué dans la version de 1830, édulcorée pour la scène ; la jeunesse, qui savait le texte par cœur, criait pour rétablir le texte supprimé ou adultéré. En 1877, une grande reprise vit le triomphe de Mounet-Sully et surtout de Sarah Bernhardt, dans une mise en scène somptueuse et décorative, dont la bibliothèque du Théâtre-Français possède le cahier de régie*. Représentations qui furent suivies par un siècle de lourdeurs pompeuses. Claudel dont les dix ans s'étaient enthousiasmés pour le « cor d'Hernani » (1878), fut consterné par la reprise de 1952. Il fallut attendre 1984, à la veille du centenaire, pour que la merveilleuse mise en scène d'Antoine Vitez au théâtre de Chaillot rendît justice à la pièce ; la force de l'interprétation, la beauté puissante des décors — la nuit de noces funèbre du dernier acte était prise entre deux lacs d'étoiles —, l'intelligence souveraine d'une lecture qui ne sacrifiait aucun personnage ni aucune idée, l'inoubliable figure de Ruy Gomez interprété par Vitez, l'aisance fragile et puissante de don Carlos (Redjep Mitrovitsa) firent de ce *Hernani* un événement mémorable.

---

* Publié dans *Le Roman d'Hernani*, par Anne Ubersfeld.

Vers clefs

HERNANI.
Oui, de ta suite, ô roi ! de ta suite ! — j'en suis.
Nuit et jour, en effet, pas à pas, je te suis !
                              I, 4, v. 381-382.

Car, vous ne savez pas, moi, je suis un bandit !
                              I, 2, v. 130.

J'écraserais dans l'œuf ton aigle impériale !
                              II, 3, v. 622.

                    Je suis une force qui va !
Agent aveugle et sourd de mystères funèbres !
Une âme de malheur faite avec des ténèbres !
                              III, 4, v. 992-994.

Oh ! qu'un coup de poignard de toi me serait doux !
                              III, 4, v. 1032.

Puisqu'il s'agit de hache ici, que Hernani,
Pâtre obscur, sous tes pieds passerait impuni,
Puisque son front n'est plus au niveau de ton
                                        [glaive,
Puisqu'il faut être grand pour mourir, je me lève.
                              IV, 4, v. 1719-1722.
Je suis Jean d'Aragon, roi, bourreaux et valets !
Et si vos échafauds sont petits, changez-les !
                              IV, 4, v. 1739-1740.

DOÑA SOL
                    Êtes-vous mon démon ou mon ange ?
Je ne sais. Mais je suis votre esclave. Écoutez,
Allez où vous voudrez, j'irai. Restez, partez,
Je suis à vous.
                              I, 2, v. 152-155.

Trop pour la concubine, et trop peu pour l'épouse !
                              II, 2, v. 502.

J'aime mieux avec lui, mon Hernani, mon roi,
Vivre errante, en dehors du monde et de la loi, [...]
Que d'être impératrice avec un empereur !

                                    II, 2, v. 511-516.

               Mort ! non pas !... nous dormons.
Il dort ! c'est mon époux, vois-tu, nous nous
                                                [aimons,
Nous sommes couchés là. C'est notre nuit de noce.

                                    V, 6, 2161-2163.

DON CARLOS
Je suis bourgeois de Gand.

                                    I, 3, v. 348.

N'allez pas cependant le tuer ! C'est un brave
Après tout, et la mort d'un homme est chose grave.

                                    II, 1, v. 477-478.

Nous, des duels avec vous ! arrière ! assassinez.

                                    II, 3, v. 600.

— Ah ! le peuple ! — océan ! — onde sans cesse
                                                [émue !
Où l'on ne jette rien sans que tout ne remue !
Vague qui broie un trône et qui berce un tombeau !
Miroir où rarement un roi se voit en beau !

                                    IV, 2, v. 1537-1540.

               Es-tu content de moi ?
Ai-je bien dépouillé les misères du roi ?
Charlemagne ! empereur, suis-je bien un autre
                                                [homme ?

                                    IV, 5, v. 1791-1793.

DON RUY GOMEZ
On va rire de moi, soldat de Zamora !
Et quand je passerai, tête blanche, on rira !

                                    I, 3, v. 245-246.

Hélas ! quand un vieillard aime, il faut l'épargner.
Le cœur est toujours jeune et peut toujours saigner.
                                    III, 1, v. 763-764.

Ce portrait, c'est le mien. — Roi don Carlos,
                                    [merci ! —
Car vous voulez qu'on dise en le voyant ici :
« Ce dernier, digne fils d'une race si haute,
« Fut un traître et vendit la tête de son hôte ! »
                                    III, 6, v. 1179-1182.

Vie et œuvre de Hugo

1797. — Mariage à Paris de
       Léopold Hugo, soldat
       républicain, et de Sophie
       Trébuchet, royaliste, ven-
       déenne et voltairienne.
1802. — Naissance à Besançon
       de Victor, après deux frè-
       res, Abel (1798) et Eugène
       (1800). Le père et les
       enfants en Corse, la mère
       à Paris.
1803. — Sophie vient chercher
       ses enfants et les ramène à
       Paris.
1808. — Sophie et ses fils rejoi-
       gnent Léopold à Naples,
       où il est en garnison. Ils
       rentrent à Paris et s'instal-
       lent dans le couvent des
       Feuillantines, désaffecté,
       avec un beau jardin.
       Lahorie, parrain de Vic-
       tor, s'installe avec eux.

1810. — Lahorie arrêté chez
Sophie, pour complot
contre Napoléon. Sophie
et ses enfants s'en vont
rejoindre Léopold, devenu
général, à Madrid. Il place
Eugène et Victor au Col-
lège des Nobles.

1812. — Sophie rentre à Paris
avec Eugène et Victor. Lors
de l'échec de la conspiration du général Mallet,
Lahorie est fusillé.

1812. — *Le Château du Diable.*

1814. — Léopold, rentré en
France, défend Thionville
et intente à sa femme un
procès en divorce.

1815. — Léopold défend à nouveau Thionville et met ses
enfants internes à la pension Cordier.

1815. — *Cahier de vers français.*

1817. — Mention au concours
de l'Académie française.
Écrit *Irtamène.*

1818. — Les enfants quittent
la pension et retournent
auprès de leur mère. Ils
s'inscrivent en droit.

1818. — Écrit *Inès de Castro.*

1819. — Victor et la jeune
Adèle Foucher, d'une
famille amie, se fian-
cent secrètement. Violente
opposition de Sophie.

1819. — *Ode sur le Rétablis-
sement de la statue
d'Henri IV*, primée aux
Jeux Floraux.

1820. — Hugo fait la connaissance de Lamennais, Cha-
teaubriand, Lamartine.
Correspondance secrète
avec Adèle : *Lettres à la
fiancée.*

1820. — *Odes et Poésies diverses.* Publie *Bug-Jargal.*

1821. — Mort de Sophie ; Victor retrouve Adèle et renoue avec son père.

1822. — Victor reçoit une pension royale et épouse Adèle.

1823. — Naissance de Léopoldine après la mort d'un petit Léopold.

1823. — *Han d'Islande.*

1824. — *Nouvelles Odes.*

1826. — *Odes et Ballades.*

1827. — *Odes à la Colonne de la place Vendôme* ; *Cromwell* ; *Préface* de *Cromwell.*

1828. — Mort de Léopold le père ; naissance d'un second fils, Victor.

1828. — Échec d'*Amy Robsart.*

1829. — Hugo refuse le triplement de sa pension et un poste officiel en compensation de l'interdiction de *Marion de Lorme.*

1829. — *Les Orientales ; Le Dernier Jour d'un condamné.* Interdiction de *Marion de Lorme.* Hugo écrit *Hernani.*

1830. — Bataille d'*Hernani*, naissance d'Adèle ; début de liaison entre Adèle et l'ami fidèle Sainte-Beuve.

25 fév. 1830. — *Hernani.*

1831. — *Notre-Dame de Paris ; Feuilles d'Automne* ; *Marion de Lorme* jouée.

1832. — Hugo et les siens s'installent 6, place des Vosges (actuel Musée Victor Hugo). Interdiction et procès du *Roi s'amuse.*

1832. — Échec du *Roi s'amuse.*

1833. — Hugo rencontre Juliette Drouet (1806-

1833. — Triomphe de *Lucrèce Borgia* à la Porte-Saint-

1883) ; début de cinquante ans d'amour (16 février 1833).

1834. — Premier des voyages annuels avec Juliette.

1836. — Deux échecs à l'Académie.

1837. — Mort du frère, Eugène, à l'asile de Charenton. Hugo fait la connaissance du duc et de la duchesse d'Orléans.

1839-1840. — Voyages avec Juliette, en particulier en Allemagne.

1841. — Élection à l'Académie française.

1843. — Mariage et mort accidentelle, à Villequier, avec son mari Charles Vacquerie, de la fille chérie, Léopoldine... Début de la liaison avec Léonie Biard, femme d'un peintre.

Martin ; demi-échec de *Marie Tudor.*

1834. — *Littérature et Philosophie mêlées; Claude Gueux.*

1835. — *Chants du Crépuscule;* succès d'*Angelo* à la Comédie-Française.

1836. — Échec de *La Esmeralda,* opéra sur un livret de Hugo, d'après *Notre-Dame de Paris.*

1837. — *Voix intérieures.*

1838. — *Ruy Blas* joué avec succès pour l'inauguration du théâtre de la Renaissance. Reprise d'*Hernani* à la Comédie-Française.

1839. — Hugo entreprend et abandonne *Les Jumeaux.*

1840. — *Les Rayons et les Ombres; Le retour de l'Empereur.*

1842. — *Le Rhin.*

1843. — Échec des *Burgraves* à la Comédie-Française.

1845. — Hugo nommé pair de
France. Scandale du cons-
tat d'adultère avec Léonie.
Léonie mise en prison
puis au couvent. Le roi
calme le peintre Biard en
lui faisant une commande
officielle.

1846. — Discours à la Chambre
des pairs. Mort de Claire
Pradier, fille de Juliette et
du sculpteur Pradier.

1848. — Activités politiques;
élu à la Constituante dans
le groupe conservateur;
lente évolution vers la
gauche. Ses fils dirigent le
journal *L'Événement*.

1849-1850. — Député à
l'Assemblée législative;
rupture violente avec la
droite : contre la loi Fal-
loux, dans les affaires de
Rome, pour la liberté de
la presse et le suffrage uni-
versel sans restriction.

1851. — Visite aux caves de
Lille, haut lieu de la
misère ouvrière. Hugo
s'oppose activement au
coup d'État du 2 décem-
bre de Louis-Napoléon
Bonaparte. S'enfuit en
Belgique pour ne pas être
pris et exécuté. Juliette le
rejoint à Bruxelles.

1845. — Hugo entreprend
l'écriture des *Misérables
(Les Misères)*.

1846. — Hugo écrit une série de
poèmes pour Léopoldine
morte.

1852. — Hugo s'installe à Jersey (Marine Terrace).

1855. — Hugo, solidaire des proscrits, est expulsé de Jersey ; lui et sa famille s'installent à Guernesey où, en 1856, il achète sa maison, Hauteville House. La famille, fatiguée de l'exil, commence à s'enfuir.

1863. — Fuite et démence d'Adèle, la seconde fille. Voyages.

1868. — Naissance de Georges, petit-fils de Hugo ; mort d'Adèle, femme du poète.

1870. — 4 septembre, fin de l'Empire ; Hugo rentre à Paris.

1852. — *Napoléon le Petit.*

1853. — *Châtiments.*

1856. — *Les Contemplations.*

1859. — Renonce à terminer et à publier *Dieu* et *La Fin de Satan*. Publie la première série de *La Légende des siècles.*

1862. — *Les Misérables.*

1864. — *William Shakespeare.*

1865. — *Chansons des Rues et des Bois.*

1866. — *Les Travailleurs de la mer.* De 1866 à 1869 écrit toute une série de pièces qui formeront *le Théâtre en liberté.*

1869. — *L'Homme qui rit.*

1871. — Élu député. Hugo prend le parti non de la Commune mais des communards en proie à la répression. S'en va à Bruxelles d'où il est expulsé.

1872. — Retourne en exil à Guernesey.

1873. — Amour passionné pour la jeune Blanche. Mort de son fils François-Victor (l'aîné Charles était mort en 1871).

1872. — *L'Année terrible.*

1874. — *Quatrevingt Treize* et *Mes Fils.*

1876. — Élu sénateur de la Seine, fait campagne pour l'amnistie, par ses discours et par ses œuvres publiées.

1877. — Seconde série de *La Légende des siècles. L'Art d'être grand-père, Histoire d'un crime.*

1878. — *Le Pape.*

1880. — *Religions et Religion, L'Ane.*

1881. — *Les Quatre Vents de l'Esprit.*

1882. — *Torquemada*, drame.

1883. — Mort de Juliette Drouet le 11 mai.

1883. — Dernière série de *La Légende des siècles.*

1885. — Mort de Victor Hugo le 22 mai. Conduit au Panthéon dans le corbillard des pauvres, accompagné par un peuple immense.

Bibliographie

Sur la biographie de Hugo :
ROSA Annette, *Hugo, l'éclat d'un siècle*, Messidor, 1984.

Sur le théâtre de Hugo :
GAUDON Jean, *Hugo dramaturge*, L'Arche, 1955.
BUTOR Michel, « Le théâtre de Victor Hugo », *Nouvelle Revue Française*, déc. 1964-janv. 1965.
UBERSFELD Anne, *Le Roi et le Bouffon*, Corti, 1974.

Sur *Hernani* :
MASSIN Jean, introduction à *Hernani*, Club du Livre.
GAUDON Jean, « Sur *Hernani* », *Cahiers de l'Association internationale des Études Françaises*, n° 35, 1983.
« En marge de la bataille d'Hernani », *Europe*, n° spécial *Hugo*, 1985.
UBERSFELD Anne, *Le Roman d'Hernani*, Mercure de France, 1985.

Notes

Préface

Page 9.

1. *Lettre-préface aux éditeurs des poésies de Charles Dovalle*, février 1830.

2. « Je les envie parce qu'ils reposent. » Thème que reprendra Hugo après la mort de son frère Eugène (« A Eugène Vicomte H. », *Les Voix intérieures*, XXIX).

Page 10.

1. Légitimistes, adversaires de tout compromis.

Page 11.

1. Auteur de *La Pratique du théâtre* (1657), codification intelligente et infidèle des principes d'Aristote.

Page 12.

1. Allusion ambiguë à Cujas, célèbre jurisconsulte (1520-1590) : contre le droit coutumier, il plaidait pour l'unification du droit écrit qui ne fut réalisée que par le Code Napoléon.

2. Le Saint-Office : l'inquisition espagnole. Permanence de Hugo : l'attaque contre toutes les censures comme contre la torture et la peine de mort.

Page 13.

1. Ensemble de textes épiques espagnols qu'Abel Hugo avait traduit en 1821.

2. Immédiatement après *Hernani* (octobre 1830), Hugo dresse une liste impressionnante de pièces en projet et ajoute : « Quand cela sera fait, je verrai. » Le patronage de Corneille est très souvent invoqué par Hugo (voir aussi *Marion de Lorme*).

Page 14.

1. « Les ouvrages interrompus restent en suspens, — et les menaces énormes des remparts » (Virgile, *Énéide*, IV).

Page 15.

1. Ce nom est celui d'une bourgade espagnole que le petit Victor traversa en 1811, Ernani, nom auquel Hugo a ajouté le « H » de son propre nom. Le titre de l'édition originale est *Hernani ou l'honneur castillan*, le sous-titre *Tres para una* (Trois pour une).

Acte I

Page 17.

1. Isabelle et son époux Ferdinand (fin du xve siècle) reconquirent Grenade sur les Maures et envoyèrent Christophe Colomb découvrir l'Amérique.

Page 19.

1. Ici, archaïsme emprunté à Molière.

Page 27.

1. *Riche homme : rico hombre*, propriétaire terrien, c'est-à-dire seigneur.
2. Annonce obscure de la haute naissance d'Hernani à laquelle la mort tragique de son père a enlevé son lustre.

Page 34.

1. Prédicateur espagnol (1500-1569) lié au jésuite Loyola.

Page 35.

1. Ville d'Espagne qui vit maintes batailles. Thématique très hugolienne de l'ancien combattant.

Page 36.

1. Ordre espagnol institué par Philippe le Bon, duc de Bourgogne, en 1429. Voir plus loin « mouton d'or » (v. 401).
2. Mort à Innsbruck en 1519 ; l'empire étant électif, il s'agit de préparer l'élection du futur empereur et don Carlos est candidat.

Page 37.

1. Pour les besoins de la versification ou la conformité de la rime, ont abandonné leur *s* final certaines formes de verbes (comme ici *sai* ; v. 1115, *répond* ; v. 1315, *croi*, etc.) ; certains adverbes (*certe*, v. 496, 718, etc.) ou adjectifs (*eux-même*, v. 1425) ; certains noms propres (*Naple*, v. 317 ; *Charle*, v. 355 ; *Jacque*, v. 1148 ; *Trève*, v. 1336).

2. Figueras, ville forte de Catalogne.

Page 38.

1. Frédéric le Sage qui se désistera pour don Carlos.

2. Citoyen de la ville de Flandre où il est né.

Page 39.

1. Insigne impérial.

Page 40.

1. Le Saint Empire Romain Germanique, résurrection pour Charlemagne de l'Empire romain.

2. Ordonnance qui réglait l'élection de l'empereur.

Page 43.

1. Le jeu de mots fit scandale.

Acte II

Page 47.

1. Ques-ti-o-nner (diérèse). Personne n'a le droit d'interroger le roi. Voir aussi v. 580.

Page 49.

1. Le vers fit scandale par son prosaïsme.

Page 50.

1. Le pavé.

Page 52.

1. Le mot scandalisa ; on lui substitua pour la représentation « favorite ».

Page 54.

1. Définition de l'Empire espagnol. Voir Schiller : *Don Carlos.*

Page 58.

1. Vers que la censure contraignit Hugo à modifier : « Crois-tu donc que pour nous il soit des noms sacrés ? »

2. Officier de justice espagnol, sorte de procureur.

Page 60.

1. Terme féodal : faire proclamer que tel personnage doit être partout immédiatement arrêté ; en fait c'est une sentence d'exil, d'où le verbe « bannir ».

2. Asile.

Page 61.

1. L'image hardie déchaîna les sifflets.

Page 64.

1. De « Ainsi donc, insensée... » à « Ah ! vous êtes ingrat ! » (Imprimerie Nationale. Ne figure pas dans l'édition Furne.) Nous indiquons entre crochets le vers qui fait double emploi.

Page 66.

1. Attitude suicidaire typique : duo d'amour mortel anticipant celui de la dernière scène.

2. *Sbire :* gendarme ; *alcade :* fonctionnaire de justice et de police.

Acte III

Page 71.

1. Curieux souvenir des objurgations d'Arnolphe à Agnès dans *L'École des femmes* de Molière.

Page 75.

1. Village voisin de Saragosse.

Page 76.

1. Célèbre statue dans la cathédrale, adossée à un pilier.

Page 88.

1. Vers ternaire.

Page 89.

1. Armure.

Page 90.

1. Ludovic Sforza (1451-1508), condottiere criminel.

2. César Borgia, fils naturel du pape Alexandre VI, criminel légendaire. Luther : le prédicateur de la Réforme apparaît comme un monstre au très catholique don Ruy Gomez.

Page 91.

1. Les sept infants de Lara, massacrés traîtreusement par leur oncle, furent servis à dîner à leur propre père.

Page 94.

1. Boabdil, dernier roi maure de Grenade ; Mahom, abréviation archaïque de Mahomet.

Page 96.

1. Villes d'Andalousie.

Page 98.

1. Cette célèbre scène a été raccourcie assez considérablement pour la représentation.

Page 99.

1. Humour noir.

Acte IV

Page 109.

1. L'élection de 1519 eut lieu à Francfort mais Hugo tenait au tombeau de Charlemagne *(Karolus Magnus).*

Page 110.

1. Les conspirateurs aidés par l'archevêque de Trèves.

Page 111.

1. François Ier.

Page 112.

1. Les allusions historiques sont en fait imprécises et souvent inexactes.

Page 113.

1. Le collège est constitué des sept grands Électeurs : le roi de Bohême, le duc de Bavière, le margrave de Brandebourg, les archevêques de Cologne, de Mayence et de Trèves.

2. Célèbre fou de François Ier. Hugo s'en souviendra pour *Le Roi s'amuse.*

Page 114.

1. Être tutoyé par le roi et rester couvert devant lui sont les privilèges des grands d'Espagne. Don Ricardo tutoyé devient de ce fait grand d'Espagne.

2. Ces deux vers furent censurés.

Page 115.

1. Peut-être doña Sol acceptera-t-elle don Carlos empereur ?

2. Agrippa, Trithème (Tritême), mages et occultistes. La tirade n'a pas été jouée.

Page 116.

1. Qui évoque les morts.

2. Préposé par les chanoines de la cathédrale (le chapitre a la garde du tombeau).

Page 118.

1. La version scénique du monologue est beaucoup plus courte.

2. Roi héréditaire.

Page 119.

1. *Diète :* conseil de l'Empire (ici collège électoral) ; *conclave :* réunion des cardinaux pour l'élection du pape.

2. *Délie :* a le pouvoir d'absoudre les péchés ; *coupe :* règle par la force les problèmes politiques.

3. La pourpre impériale, la robe blanche du pape.

Page 121.

1. *Margrave :* souverain d'une province frontière ; *doge :* chef élu des villes portuaires, Venise, Gênes ; *fleuron :* ornement des couronnes ducales.

Page 122.

1. L'appel au grand ancêtre se retrouvera dans *Ruy Blas*.
2. Tour inachevée que construisirent les premiers hommes et qu'ils ne purent finir car Dieu leur donna des langues différentes ; image ici de la hiérarchie sociale.

Page 123.

1. Vent du nord, glacé.

Page 124.

1. « A des buts élevés par des routes étroites. »

Page 127.

1. La force des Romains, l'esprit de sacrifice des Hébreux.
2. Allusion aux divers instruments de torture.

Page 129.

1. Un changement décisif interviendra dans la dernière édition, Ruy Gomez refusant doña Sol.

Page 132.

1. Insignes de l'Empire.

Page 134.

1. Le souverain babylonien aux murs duquel pendant un banquet on vit s'inscrire les trois mots du destin : *Mané, Thécel, Pharès* (souvenir de la Bible : livre de Daniel). Le souvenir du festin de Balthazar occupera toujours l'imagination de Hugo.
2. Ironique rappel du mot du Christ conseillant à ses disciples de se soumettre au pouvoir (Matthieu, 22).

Page 135.

1. Le roi Rodrigue perdit la couronne et la vie pour avoir insulté la fille de son vassal le comte Julien.
2. Extraordinaire mouvement d'héroïsme « cornélien ».

Page 137.

1. Un pardon « cornélien », signe de la transformation du roi en empereur.

Page 139.

1. Les vers 1783 à 1786 figurent pour la première fois dans l'édition de l'Imprimerie Nationale.

Page 140.

1. Souvenir des invasions barbares.

Page 141.

1. Christian le Cruel ; toute la suite est une énumération des adversaires et des difficultés que Charles Quint doit affronter.

2. Soliman le Magnifique, menace permanente du Saint-Empire.

Acte V

Page 147.

1. Alguazil : policier.

Page 148.

1. Une statue du Commandeur pour ce nouveau don Juan.

Page 154.

1. Le moment de félicité parfaite chez Hugo est toujours annonciateur de la catastrophe.

Page 158.

1. Encore le souvenir de Balthazar.

Table

Préface d'*Antoine Vitez* 5

HERNANI

Préface de Victor Hugo 9

Acte I 17
Acte II 45
Acte III 69
Acte IV 109
Acte V 143

COMMENTAIRES

Originalité de l'œuvre 175
    Hugo en 1829, 175. - Les débuts au théâtre, 175. - *Hernani* joué, 178.
Thèmes et personnages 179
    La fable d'*Hernani*, 179. - Les thèmes, 181. - Les personnages, 183. - Psychologie de Hugo, 188.
Le travail de l'écrivain 189
    L'alexandrin, 189. - Une écriture provocatrice, 191. - L'échange verbal, 193. - Lyrisme, 194.

Table 224

Dramaturgie 196
    Les unités, 197. - Dramaturgie grotesque, 199. La com-
    passion, 200.
L'œuvre et son public 200
    La bataille d'*Hernani*, 200. - L'accueil, 202. - Représen-
    tations, 204.
Vers clefs 205
Vie et œuvre de Hugo 207
Bibliographie 214

Notes 215

Crédit photos

Photo B.N., p. 25. Bernand, pp. 59, 169. Coqueux, p. 117.

Composition réalisée par C.M.L., Montrouge.

IMPRIMÉ EN FRANCE PAR BRODARD ET TAUPIN
Usine de La Flèche (Sarthe).
Librairie Générale Française - 6, rue Pierre-Sarrazin - 75006 Paris.

ISBN : 2 - 253 - 04147 - 5   ⊕ 30/6328/6